Collection « Français langue étrangère et maternelle »

Dominique Abry
Maître de conférences
à l'université Stendhal, Grenoble III

Marie-Laure Chalaron
Assistante
à l'université Stendhal, Grenoble III

Centre universitaire d'études françaises

La grammaire des premiers temps

Volume 1

Presses Universitaires de Grenoble
1997

Nous remercions tous les professeurs qui ont bien voulu tester dans leurs classes les exercices de ce manuel et en particulier Florentine Ortega, Roselyne Roesch et Myriam Zijp qui par leurs suggestions ont enrichi cet ouvrage, et tous ceux qui nous ont prêté leur voix.

Catalogauge Electre-Bibliographie
Chalaron, Marie-Laure* Abry Dominique
La grammaire des premiers temps. – Réimpr. – Saint-Martin-d'Hères (Isère) : PUG 1998. – (Flem)
ISBN 2-7061-0742-5
RAMEAU : français (langue) : grammaire
DEWEY : 445 : Grammaire du français
Public concerné : Public intéressé

Illustrations : Christophe Veldeman
Maquette et mise en page : Véronique Bernard

BP 47 - 38040 Grenoble Cedex 9
Tél : 04 76 82 56 51
Fax : 04 76 82 78 35
E-mail : pug@upmf-grenoble.fr

PRÉFACE

➤ Objectifs et contenus

Ce manuel grammatical est conçu :

- **pour l'étudiant** comme un *outil d'apprentissage guidé* des régularités morphosyntaxiques du français au niveau débutant, faux débutant et comme un *moyen de révision* au niveau intermédiaire. Il peut être utilisé dès le début de l'apprentissage et jusqu'à *150 heures* de français environ ;
- **pour l'enseignant** comme un ensemble lui permettant d'acheminer les apprenants vers la maîtrise des micro-systèmes grammaticaux généralement retenus comme objet d'apprentissage au niveau 1 et de les faire revoir à un niveau plus avancé. Il trouvera dans cet ouvrage des corpus, des exercices et des activités qui sollicitent l'esprit d'observation de l'élève, sa réflexion, sa mémoire mais aussi ses connaissances, son expérience et son imagination.

Ce manuel comporte plus précisément :

- **des textes de sensibilisation** dont la forme généralement poétique ou humoristique se prête aux répétitions, aux leitmotive et qui de ce fait centrent aisément l'attention sur le domaine étudié. Certains de ces textes pourront aussi faire l'objet de **mémorisation** ;
- **des corpus de discrimination** qui permettent de travailler simultanément les formes orales et écrites ;
- **des corpus d'observation** sur lesquels l'enseignant pourra s'appuyer pour faire analyser tel ou tel micro-système de notre langue ;
- **des tableaux** récapitulatifs et **des remarques** faisant le point sur les micro-systèmes abordés ;
- **des exercices « d'entraînement »** centrés principalement sur le bon usage du code dans lesquels l'élève n'aura d'autre tâche que l'appropriation linguistique (entraînement oral et transcription écrite). Ils pourront/devront être réutilisés périodiquement pour fixer, revoir les connaissances et évaluer les acquis. La présentation de la plupart des exercices (oral à gauche/écrit à droite) facilitera la reprise des exercices ;
- **des corpus « d'échanges »** incitant l'élève à s'exprimer à titre personnel et à faire part de son expérience, de ses connaissances, de sa curiosité... dans le cadre d'un domaine grammatical prédominant et d'exercer ainsi simultanément sa compétence linguistique et communicative ;
- **des activités créatives** où l'imagination de l'apprenant est sollicitée dans le cadre de productions à contrainte grammaticale ;
- **des exercices d'évaluation** destinés à la vérification des acquisitions à l'intérieur de chaque chapitre ou sous-partie de chapitre ;
- et ici ou là **des textes** à lire.

On disposera aussi :

- **d'une cassette** de 90 minutes contenant des enregistrements de textes, de corpus ou d'exercices. Un logo signale les enregistrements ;
- **d'un corrigé** des exercices qui permettra aux élèves qui désirent travailler seuls de vérifier leurs réponses pour les exercices fermés et de s'inspirer des exemples de réponses pour les exercices ouverts ;
- **d'une table** détaillée et **d'un index** qui faciliteront l'utilisation de l'ouvrage.

➤ Grammaires de référence

Notre description de la langue n'est pas en rupture avec la tradition grammaticale partagée par le plus grand nombre d'enseignants et on reconnaîtra des regroupements familiers tels que « verbes, déterminants, pronoms, adjectifs, adverbes ». À ces catégories formelles s'ajoutent des regroupements notionnels tels que « comparaison, localisation, caractérisation, expression du temps, négation, interrogation ».

Concernant la morphologie verbale, notre description s'appuie sur l'analyse en bases (radical oral) ; notre classement des verbes au présent, qui s'inspire des propositions de Dubois dans sa grammaire structurale et met en évidence les régularités orales, nous éloigne des « 1er, 2e et 3e groupes » traditionnels. Le tableau de correspondance avec les groupes traditionnels qui figure au début du dossier « présent » permettra aux enseignants non habitués à cette description de faire le lien entre les deux modes de description.

Nous avons conscience de l'éclectisme de nos sources théoriques mais celui-ci ne nous paraît pas incompatible avec notre objectif qui est pédagogique et non scientifique.

➤ Progression

L'ordre des dossiers ne propose pas un itinéraire de progression bien que l'ordre de certain d'entre eux soit motivé par des critères de fréquence ou d'utilité (1– présent, 2– passé, 3– futur, pour ce qui concerne les formes verbales par exemple). Notre ordre de présentation des chapitres n'est donc pas progressif ; l'ouvrage en effet se veut ouvert à des situations d'apprentissage variées et laisse l'enseignant libre d'aller et venir à travers les différentes sections pour établir une progression qui soit en cohérence avec son programme et les autres outils pédagogiques dont il dispose.

Le contenu de chaque dossier est en revanche plus progressif, l'ordre retenu reflétant à la fois une conception méthodologique des étapes du travail grammatical :

- sensibilisation,
- observation, analyse/réflexion,
- pratique,

et notre expérience pédagogique en matière de progression des contenus. Toutefois, là encore, l'enseignant seul est maître de son itinéraire.

On ne s'étonnera donc pas de voir par exemple les « déterminants du nom » au chapitre 4 et l'« interrogation » au chapitre 9 alors que les formes du premier ensemble et les structures du second sont présentes inévitablement dès le début de l'apprentissage. Des renvois, signalés par le logo « ☞ », permettront de faire des liens entre les différents chapitres.

Infinitif

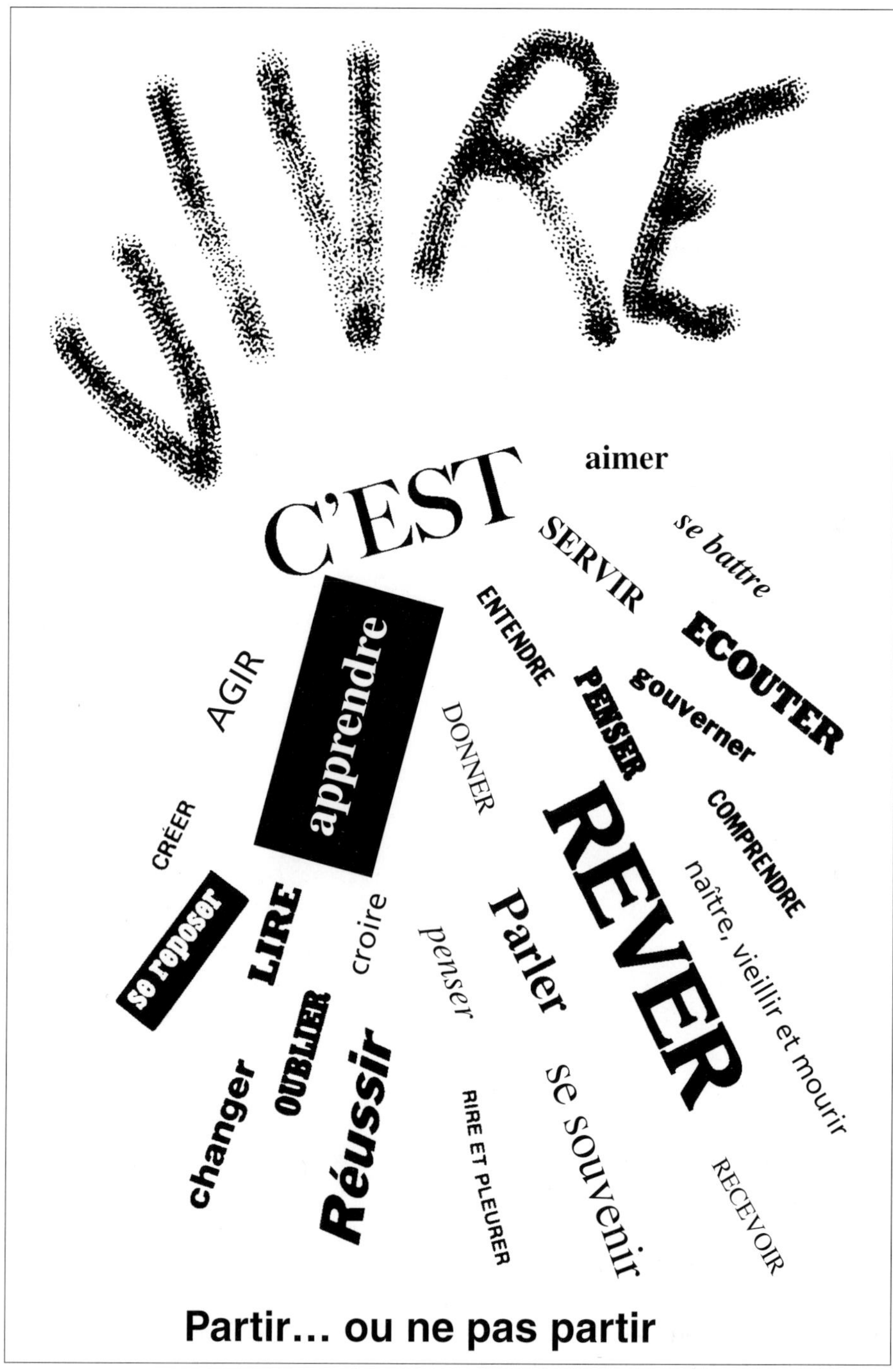

Pour vous, vivre, qu'est-ce que c'est ?

	Verbes à 1 base (p. 14)	**Verbes à 2 bases** – **type 1** (p. 21, 23)	**Verbes à 2 bases** – **type 2** (p. 28, 29, 30)	**Verbes à 3 bases** (p. 36)	**Verbes irréguliers** (p. 9)
CLASSEMENT PHONÉTIQUE	1 je 2 tu 3 il/elle/on 6 ils/elles 4 nous [ɔ̃] 5 vous [e]	1 je 2 tu 3 il 6 ils 4 nous [ɔ̃] 5 vous [e]	1 je 2 tu 3 il 6 ils 4 nous [ɔ̃] 5 vous [e]	1 je 2 tu 3 il 6 ils 4 nous [ɔ̃] 5 vous [e]	ÊTRE AVOIR ALLER FAIRE et ses composés
	Même base phonétique pour toutes les personnes.	*Principe* : alternance base courte/base longue (+ consonne) et/ou alternance vocalique.			
CLASSEMENT TRADITIONNEL	Tous les verbes en ER		• Tous les verbes du 2e groupe (IR → ISS).	• Quelques verbes très fréquents du 3e groupe et leurs composés : – pouvoir, vouloir, devoir, boire, recevoir, percevoir ; – tenir, venir ; – prendre et ses composés.	
	• Tous les verbes du 1er groupe en ER, *sauf* → • Quelques verbes du 3e groupe et leurs composés : – offrir, souffrir, ouvrir, couvrir, cueillir, assaillir, défaillir, tressaillir ; – courir, secourir… ; – rire, sourire ; – conclure, exclure, inclure.	• Les verbes se terminant par : – E . ER (acheter, appeler, jeter…) ; – É . ER (céder, répéter…) ; – OYER, UYER, AYER (noyer, appuyer, essayer…). • Quelques verbes du 3e groupe et leurs composés : – fuir, croire, voir, extraire, – mourir, acquérir, *asseoir*.	• La majorité des verbes du 3e groupe : – tous les verbes en -AÎTRE, -OÎTRE, -ETTRE ; – tous les verbes en -AINDRE, -OINDRE, -EINDRE, -ORDRE ; – tous les verbes en -ENDRE *sauf* (→ prendre) – savoir, valoir, résoudre ; – *asseoir*. (2 conjugaisons, p. 30)		

Remarque : Tous les verbes du français ont une même forme orale au singulier (1e, 2e, 3e personne) *sauf* (→ verbes irréguliers)
[dɔr] : *je dors, tu dors, il dort* ; [prɑ̃] *je prends, tu prends, il prend* ; [vø] *je veux, tu veux, il veut*

Présent

JE NE FUME PAS
JE NE BOIS PAS
BAR
JE SUIS FIDÈLE
JE NE FAIS PAS DE SPORT
PISCINE
PAS DE POLITIQUE !
CONGRÈS DU P.C.
LA CULTURE M'ENNUIE
LE SOIR
LIVING THEATRE
J. BECK
JE NE VOYAGE PAS
JE NE JOUE PAS
JE NE CROIS PAS.
JE SUIS HEUREUX
JE SUIS HEUREUX
JE SUIS HEUREUX
BOSC

A. *Écoutez le dialogue.*

☞ quel, 209

FICHE DE RENSEIGNEMENTS

- *Nom de famille :* BELCOUR
- *Prénom :* Mathilde
- *Nationalité :* française
- *Adresse :* 10 rue de la Poste
- *Téléphone :* 76 52 23 26
- *Profession :* étudiante
- *Études :* droit
- *État-civil :* célibataire ☐ marié(e) ☒ divorcé(e) ☐
  enfants : oui ☐ non ☒
- *Âge :* 22 ans
- *Sports pratiqués :* ski, danse

B. *Réécoutez l'enregistrement. Notez les liaisons et enchaînements par le signe ‿ , puis répondez pour vous.*

Quel est votre nom de famille ?

____

Quel est votre prénom ?

____

Quelle est votre nationalité ?

____

Quelle est votre adresse ?

____

Quel est votre numéro de téléphone ?

____

Quelle est votre profession ?

____

Quelles études faites-vous ?

____

Vous êtes célibataire ? marié(e) ? divorcé(e) ?

____

Vous avez des enfants ?

____

Vous avez quel âge ?

____

Vous faites du sport ?

____

Quel sport faites-vous ?

____

C. *Reformulez les questions avec « tu ». Mémorisez les questions.*

Être

1. je **suis**	4. nous **sommes**
2. tu **es**	5. vous **êtes**
3. il/elle/on **est**	6. ils/elles **sont**

Avoir

1. j'**ai**	4. nous **avons**
2. tu **as**	5. vous **avez**
3. il/elle/on **a**	6. ils/elles **ont**

☞ adjectifs, 182

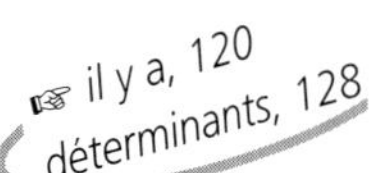

Faire

1. je **fais**	4. nous **faisons**
2. tu **fais**	5. vous **faites**
3. il/elle/on **fait**	6. ils/elles **font**

Aller

☞ aller à, 240

1. je **vais**	4. nous **allons**
2. tu **vas**	5. vous **allez**
3. il/elle/on **va**	6. ils/elles **vont**

Remarquez la terminaison « ont » [ɔ̃] : *ils sont, ils ont, ils vont, ils font.*

A. *Écoutez et répondez.*

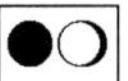

Vous êtes étudiant ? ______________________

Vous faites des études ? ______________________

Vous allez au cours de français ? ______________________

Vous avez un professeur de français ? ______________________

B. *Écoutez, lisez.*

Étudier le français...

C'est obligatoire ou ce n'est pas obligatoire ?
C'est facile ou ce n'est pas facile ?
C'est utile ou ce n'est pas utile ?
C'est important ou ce n'est pas important ?
C'est amusant ou ce n'est pas amusant ?

Pour apprendre le français...

Être motivé, c'est nécessaire.
Avoir un professeur, c'est préférable.
Faire des exercices, c'est important.
Aller en France, en Suisse, en Belgique, au Québec, c'est utile.

C. *Écoutez.*

Entraînez-vous à produire oralement puis par écrit des petits textes ; variez les pronoms.

☞ négation, 218

A

Avoir 20 ans
Être jeune
Aller à l'université
Être étudiant(e)
Faire des études

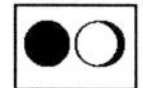

Exemple 1 : J'ai 20 ans, je suis jeune, je vais à l'université, je suis étudiant(e), je fais des études.

Exemple 2 : Nous avons 20 ans, nous sommes jeunes, nous sommes étudiant(e)s, nous allons à l'université, nous faisons des études.

B

Avoir 50 ans
Être célibataire
Avoir un chat
Être écrivain

C

Avoir 60 ans
Être retraité(e)
Avoir beaucoup de temps libre
Faire des voyages
Aller partout dans le monde

D

Avoir 1 an
Être mignon
Faire pipi au lit
Avoir un frère

E

Avoir 30 ans
Être marié(e)
Avoir trois enfants
Avoir une profession intéressante
Faire de la politique
Aller souvent à l'étranger
Être très occupé(e)

F

Avoir entre 25 et 30 ans
Faire beaucoup de sport
Avoir des amis
Être en bonne forme
Aller très bien

G

Avoir 40 ans
Être divorcé(e)
Ne pas avoir de travail
Être au chômage
Faire des études
Ne pas avoir d'argent
Ne pas aller bien

H

Avoir 15 ans
Être jeune
Aller au lycée
Faire des études secondaires

I

Avoir 90 ans
Être veuf (veuve)
Avoir des petits-enfants
Ne jamais aller chez le médecin
Être en bonne santé

Complétez à l'oral puis à l'écrit avec la forme correcte.

ÊTRE

Qui ——— étudiant ? Qui travaille ? ———————
Où ——— les toilettes ? ———————
Je ne ——— pas français. ———————
Tu ——— fatigué ? ———————
Nous ——— étrangers. ———————
Merci, vous ——— bien aimable ! ———————
On ——— en retard. Excusez-nous. ———————

AVOIR

Tu ——— quel âge ? ———————
Excusez-moi, je n' ——— pas le temps. ———————
Ils n' ——— pas d'argent. ———————
Pardon, vous ——— l'heure ? ———————
Nous ——— un problème. ———————
Elle ——— 15 ans. ———————
Vous ——— une minute, s'il vous plaît ? ———————
On ——— faim et soif. ———————

FAIRE

Qu'est-ce qu'elle ——— comme études ? ———————
Vous ——— du sport. ———————
Elles ——— un voyage en Asie. ———————
Je vous ——— un café ? ———————
Il ——— froid aujourd'hui ? ———————
Nous ——— des études en France. ———————
Qu'est-ce que tu ——— ce soir ? ———————

ALLER

Vous ——— bien ? ———————
Elle ——— où ? ———————
On ——— au cinéma ? ———————
Tu ——— téléphoner ? ———————
Mes parents ne ——— pas bien. ———————
Je ——— avec toi. ———————
Nous ——— à la banque. ———————

A. *Qui sont les occupants de ces deux immeubles ? Que font-ils ? Quel âge ont-ils ? Que sont-ils en train de faire ?*

B. *À votre avis, en ce moment, qu'est-ce que le chef de l'État est en train de faire ? Est-il en train de dormir ? De préparer un discours ? De consulter ses conseillers ? D'accueillir un autre chef d'État ? De manger ?...*

Je vous cherche
Je vous trouve
Je vous aime
Je vous garde

Je vous regarde
Je vous écoute
Je vous aime
Je vous garde

Vous me quittez
Vous m'oubliez
Je vous pardonne
Je vous aime

1
Présent

Même base pour **1 2 3 6 4 5** 

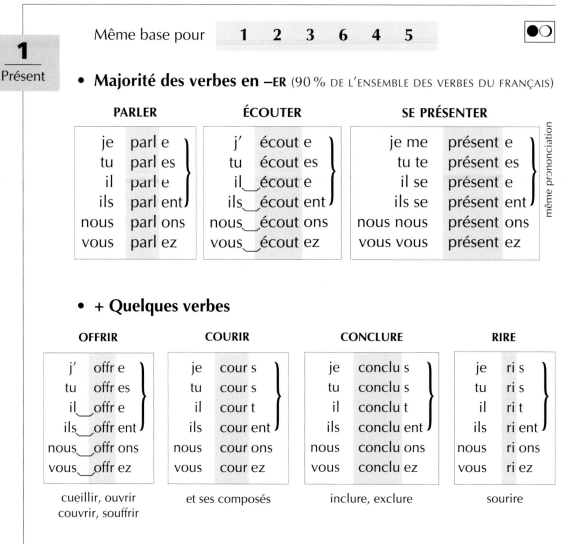

- **Majorité des verbes en –ER** (90 % DE L'ENSEMBLE DES VERBES DU FRANÇAIS)

PARLER

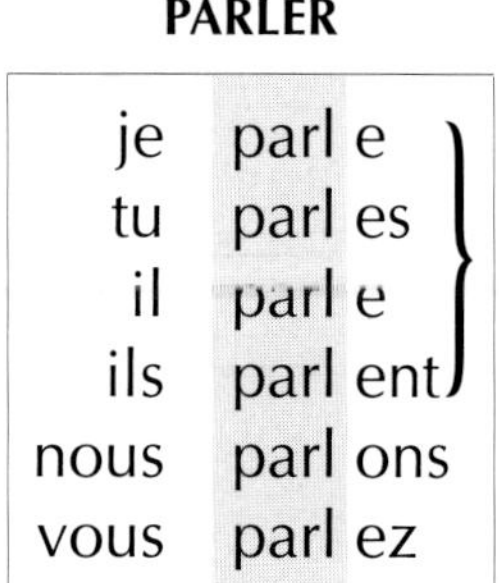

je	parl e
tu	parl es
il	parl e
ils	parl ent
nous	parl ons
vous	parl ez

ÉCOUTER

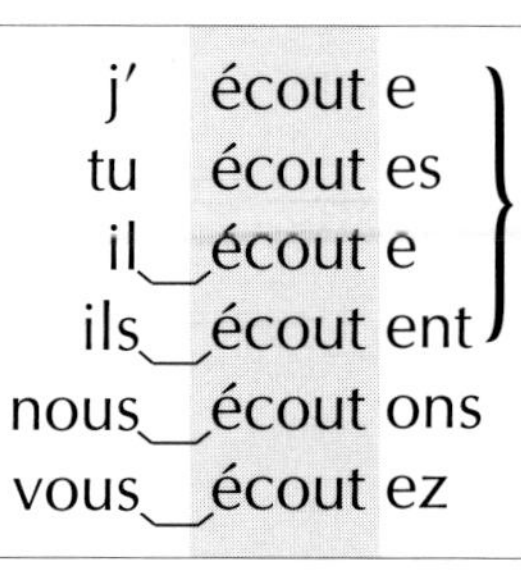

j'	écout e
tu	écout es
il‿	écout e
ils‿	écout ent
nous‿	écout ons
vous‿	écout ez

SE PRÉSENTER

je me	présent e
tu te	présent es
il se	présent e
ils se	présent ent
nous nous	présent ons
vous vous	présent ez

même prononciation

- **+ Quelques verbes**

OFFRIR

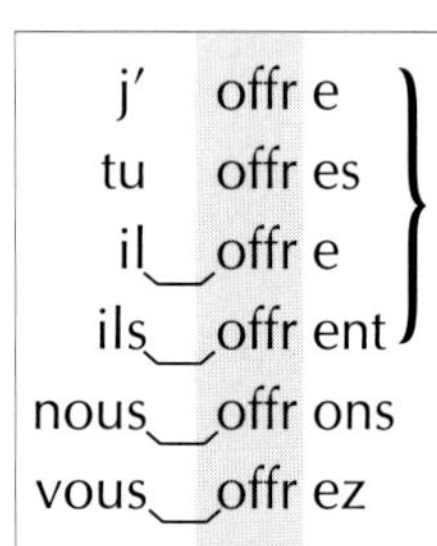

j'	offr e
tu	offr es
il‿	offr e
ils‿	offr ent
nous‿	offr ons
vous‿	offr ez

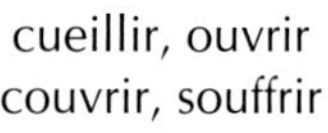

cueillir, ouvrir
couvrir, souffrir

COURIR

je	cour s
tu	cour s
il	cour t
ils	cour ent
nous	cour ons
vous	cour ez

et ses composés

CONCLURE

je	conclu s
tu	conclu s
il	conclu t
ils	conclu ent
nous	conclu ons
vous	conclu ez

inclure, exclure

RIRE

je	ri s
tu	ri s
il	ri t
ils	ri ent
nous	ri ons
vous	ri ez

sourire

ORTHOGRAPHE

- Notez les terminaisons orthographiques :

	JE	TU	IL/ELLE ON	ILS/ELLES	NOUS	VOUS
Verbes en –ER + offrir...	–e	–es	–e	–ent	–ons	–ez
Autres verbes	–s	–s	–t			

- Attention, pour des raisons phonétiques :

Verbes en –ger (manger, changer, ranger, déranger...)

*manger : je mang**e** nous mang**eons***

Verbes en –cer (commencer, se balancer, avancer, prononcer...)

*commencer : je commen**ce** nous commen**çons***

A. *Lisez et écoutez ces portraits opposés.*

	LE FRÈRE	LA SŒUR
Travailler	il travaille bien	elle ne travaille pas bien
Jouer	il ne joue pas beaucoup	elle joue beaucoup
Aimer	il aime lire	elle n'aime pas lire
Pleurer	il pleure souvent	elle ne pleure pas souvent
Manger	il ne mange pas beaucoup	elle mange beaucoup

B. *Imaginez un couple aux goûts et habitudes opposées. Utilisez des phrases affirmatives et négatives.*

☞ négation, 218
adverbes, 186, 188

aimer le sport • cuisiner • regarder la télé • parler (beaucoup) • faire de la politique • travailler • manger • dépenser • téléphoner • aimer • danser • fumer • rire ou sourire...

Lui	*Elle*

A. *Entraînez-vous à produire oralement puis par écrit des petits textes. Variez les pronoms (je, tu, il, elle, on, ils, elles, nous, vous).*

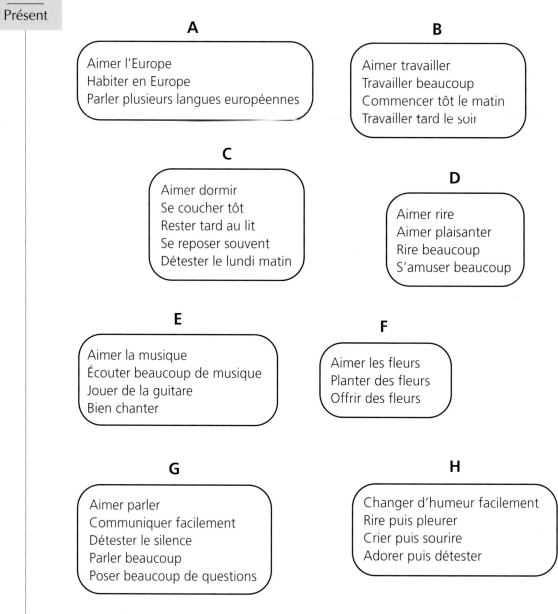

A

Aimer l'Europe
Habiter en Europe
Parler plusieurs langues européennes

B

Aimer travailler
Travailler beaucoup
Commencer tôt le matin
Travailler tard le soir

C

Aimer dormir
Se coucher tôt
Rester tard au lit
Se reposer souvent
Détester le lundi matin

D

Aimer rire
Aimer plaisanter
Rire beaucoup
S'amuser beaucoup

E

Aimer la musique
Écouter beaucoup de musique
Jouer de la guitare
Bien chanter

F

Aimer les fleurs
Planter des fleurs
Offrir des fleurs

G

Aimer parler
Communiquer facilement
Détester le silence
Parler beaucoup
Poser beaucoup de questions

H

Changer d'humeur facilement
Rire puis pleurer
Crier puis sourire
Adorer puis détester

Exemples :

- J'aime l'Europe, j'habite en Europe et je parle plusieurs langues européennes.
- Mary et Julian aiment l'Europe, ils habitent en Europe et ils parlent plusieurs langues.

B. *Dictée.*

A. *Entraînez-vous à poser ces questions avec « vous » et « tu ».*

1. **Vous parlez** combien de langues ?	***Tu parles*** *combien de langues ?*
2. **Vous fumez** ?	***Tu fumes*** *?*
3. Vous mangez beaucoup ?	______________________
Vous aimez manger ?	______________________
4. Vous aimez les animaux ?	______________________
5. Vous regardez beaucoup la	______________________
télévision ?	______________________
6. Vous écoutez souvent la radio ?	______________________
7. Vous habitez en ville ?	______________________
8. Vous parlez en dormant ?	______________________
9. Vous aimez chanter ?	______________________
Vous chantez juste ?	______________________
10. Vous passez vos vacances	______________________
en famille ? seul(e) ?	______________________
avec des amis ?	______________________
11. Vous voyagez beaucoup ?	______________________
12. Vous pratiquez un sport ?	______________________
13. Vous dansez bien ?	______________________
14. Vous déjeunez beaucoup	______________________
le matin ?	______________________
15. Vous ressemblez à votre père	______________________
ou à votre mère ?	______________________
16. Vous marchez vite ?	______________________
17. Vous changez souvent d'avis ?	______________________
18. Vous offrez souvent des fleurs ?	______________________
19. Vous riez facilement ?	______________________
20. Vous ronflez la nuit ?	______________________

B. *Échangez.*

A. *Lisez, puis formulez les questions avec le pronom « vous ».*

Est-ce que dans votre classe de français, quand ils se retrouvent ou se quittent, les étudiants
- se serrent la main ?
- s'embrassent ?
- se saluent ?
- se sourient ?

Est-ce que quand vous vous retrouvez ou vous vous quittez, vous vous serrez la main ?...

Est-ce que dans la classe
- ils se parlent en français ?
- ils s'aident à travailler ?
- ils se corrigent mutuellement ?
- ils s'écoutent parler ?

Quelles sont les relations entre eux ?
- est-ce qu'ils s'aiment bien ?
- est-ce qu'ils se critiquent ?
- est-ce qu'ils s'ignorent ?
- est-ce qu'ils ne s'aiment pas ?

Est-ce qu'en dehors de la classe
- ils se retrouvent ?
- ils se téléphonent ?
- ils s'invitent ?
- ils se parlent ?
- ils ne se rencontrent pas ?

☞ quantitatifs, 142

B. *Complétez librement d'après vos impressions ou vos certitudes.*

Tous les étudiants ______________________________

____

La plupart des étudiants ______________________________

____

Certains étudiants ______________________________ d'autres non.

Quelques étudiants ______________________________

____

C. *Dictée.* ●○

A. *Écrivez les questions. Entraînez-vous à les poser. Répondez-y.*

Se réveiller de bonne humeur, de mauvaise humeur
Est-ce que vous vous réveillez de bonne humeur ? de mauvaise humeur ?
- *je me réveille tous les jours de bonne humeur*
- *je me réveille souvent de mauvaise humeur*
- *je ne me réveille jamais de mauvaise humeur…*

☞ conjugaisons, 14

Se maquiller tous les jours

Se raser tous les jours, une fois par semaine

Se parfumer beaucoup, régulièrement

Se doucher plusieurs fois par jour

Se dépêcher souvent

Se couper les cheveux régulièrement

S'installer le matin devant la télévision

Se recoucher après le petit-déjeuner

Se regarder dans la glace fréquemment

S'énerver

Se préparer rapidement le matin

Se trouver intelligent(e)

S'adapter aux situations inattendues

B. *Répondez en précisant la fréquence.*

- chaque jour, chaque semaine, chaque mois
- une, deux, trois fois par jour, par semaine
- régulièrement
- (pas) souvent
- rarement
- ne… jamais

☞ adverbes, 240

C. *Dictée.*

Allô, Allô, Mademoiselle
Je vous appelle, je vous rappelle

Mademoiselle, appelez-moi
Mademoiselle, rappelez-moi

Mademoiselle
Je renouvelle mon appel
Appelez-moi
Rappelez-moi

Mademoiselle
Au moins... une fois

MLC.

Verbes à deux bases, type 1 ➤➤ *Discrimination/tableau*

A. *Écoutez les infinitifs des verbes suivants et complétez avec « e » ou « é » selon la prononciation.*

acheter • répéter • se lever • posséder • g—ler • esp—rer emm—ner • j—ter • se prom—ner • acc—der • succ—der ach—ver • cong—ler • sugg—rer • p—ser • s'inqui—ter s—cher • s'app—ler • r—gler • poss—der • compl—ter.

B. *Classez les verbes selon leur prononciation.*

❶ [ə] = « e »	❷ [e] = « é »
Acheter *Se lever*	*Répéter* *Posséder*

• **Verbes en –E.ER et –É.ER** (ENVIRON 100 VERBES)

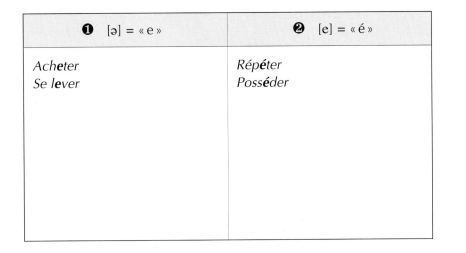

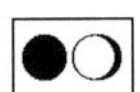

1 2 3 6   4 5

❶ S'APPELER

je m'	appell	e	[ɛ]
tu t'	appell	es	
il s'	appell	e	
ils s'	appell	ent	
nous nous	appel	ons	[ə] ou [-]
vous vous	appel	ez	

❶ ACHETER

j'	achèt	e	[ɛ]
tu	achèt	es	
il	achèt	e	
ils	achèt	ent	
nous	achet	ons	[ə] ou [-]
vous	achet	ez	

❷ RÉPÉTER

je	répèt	e	[ɛ]
tu	répèt	es	
il	répèt	e	
ils	répèt	ent	
nous	répét	ons	[e]
vous	répét	ez	

En français oral standard le [ə] est généralement muet :
nous [aplɔ̃], vous [aple], nous [aʃtɔ̃], vous [aʃte].

A. *Écoutez les dialogues, répétez-les, puis écrivez les formes verbales.* ●○

ORAL	ÉCRIT
1. À quelle heure vous (*se lever*) ?	*vous vous levez*
À quelle heure je (*se lever*), ça dépend !	*je me lève*
2. Vous (*s'appeler*) comment ?	______
Je (*s'appeler*) Bernard Desbordes.	______
3. Nous (*espérer*) réussir.	______
Moi aussi, j'(*espérer*).	______
4. La gare, s'il vous plaît.	______
Montez, je vous (*emmener*).	______
5. Pourquoi vous ne (*jeter*) pas ça ?	______
Je ne (*jeter*) rien.	______
6. Ma musique vous (*gêner*) ?	______
Non, vous ne me (*gêner*) pas du tout.	______
7. Vous pouvez répéter le numéro s'il vous plaît ?	______
Je (*répéter*) lentement : 8 8 9 1 0 0 6 7.	______
8. Vous pouvez peser cette lettre ?	______
Elle (*peser*) 20 grammes.	______
9. Les enfants ! Levez-vous !	______
On (*se lever*), on (*se lever*) !	______
10. Je vous (*ramener*) chez vous ?	______
Oui, (*ramener*)-moi, s'il vous plaît.	______

B. *Complétez.*

En classe : répéter les sons, épeler les mots, compléter les phrases.
Je répète les sons, j'épelle les mots, je complète les phrases.
Nous ______

À la campagne : s'aérer, se promener.
On ______
Vous ______

Dans une librairie : feuilleter, acheter.
Les gens ______
Nous ______

En voiture : accélérer.
Tu ______
Vous ______

Avant un examen : se surmener, s'inquiéter.
Les étudiants ______
Nous ______

Renvoyé

T'es plus payé pour balayer
T'es plus payé pour essuyer
T'es plus payé pour nettoyer
T'es renvoyé
T'es renvoyé

J'suis plus payé pour balayer
J'suis plus payé pour essuyer
J'suis plus payé pour nettoyer
J'suis renvoyé
J'suis effrayé
Inemployé

J'vais m'ennuyer

MLC.

• Verbes en –OYER, –AYER, –UYER (ENVIRON 20 VERBES)

PAYER

je	pai	e	[ɛ]
tu	pai	es	
il	pai	e	
ils	pai	ent	
nous	pay	ons	[ɛj]
vous	pay	ez	

balayer, effrayer…

ENVOYER

j'	envoi	e	[wa]
tu	envoi	es	
il	envoi	e	
ils	envoi	ent	
nous	envoy	ons	[waj]
vous	envoy	ez	

noyer, nettoyer…

APPUYER

j'	appui	e	[ɥi]
tu	appui	es	
il	appui	e	
ils	appui	ent	
nous	appuy	ons	[ɥij]
vous	appuy	ez	

ennuyer, essuyer…

• + quelques verbes

SE DISTRAIRE

je me	distrai	s	[ɛ]
tu te	distrai	s	
il se	distrai	t	
ils se	distrai	ent	
nous nous	distray	ons	[ɛj]
vous vous	distray	ez	

soustraire, extraire

VOIR

je	voi	s	[wa]
tu	voi	s	
il	voi	t	
ils	voi	ent	
nous	voy	ons	[waj]
vous	voy	ez	

croire

FUIR

je	fui	s	[ɥi]
tu	fui	s	
il	fui	t	
ils	fui	ent	
nous	fuy	ons	[ɥij]
vous	fuy	ez	

s'enfuir

Répondez oralement, puis écrivez les formes verbales.

1
Présent

Vous (*employer*) combien de personnes ?	*Vous employez*
J'(*employer*) trente personnes.	*J'emploie*
1. Vous (*payer*) en liquide ?	______________
Non, je (*payer*) par chèque.	______________
2. Vous (*voir*) bien ?	______________
Oui, je (*voir*) très bien.	______________
3. (*Appuyer*) sur le bouton rouge !	______________
Oui, oui, j'(*appuyer*).	______________
4. Vous m'(*envoyer*) un fax demain ?	______________
Non, je l'(*envoyer*) tout de suite.	______________
5. Vous (*s'ennuyer*) ?	______________
Non, je ne (*s'ennuyer*) pas.	______________
6. Vous (*tutoyer*) vos élèves ou vous les (*vouvoyer*) ?	______________
Parfois je les (*tutoyer*), parfois je les (*vouvoyer*).	______________
7. Pourquoi vous (*bégayer*) ?	______________
Mais je ne bbbb(*bégayer*) pas.	______________
8. Vous (*revoir*) votre ex-femme ?	______________
Non, je ne la (*revoir*) pas.	______________
9. Pourquoi vous me (*fuir*) ?	______________
Mais je ne vous (*fuir*) pas.	______________
10. Vous (*croire*) que c'est vrai ?	______________
Oui, je (*croire*).	______________

A. *Observez le dessin, utilisez les verbes suivants à la forme affirmative ou négative pour décrire la scène.*

☞ pronoms, 158

S'appeler
Se promener
Se rencontrer, Se croiser, S'arrêter
Se saluer, S'embrasser, Se serrer la main
Se regarder
Se parler, Se raconter quelque chose, Se demander quelque chose
Se quitter, S'éloigner

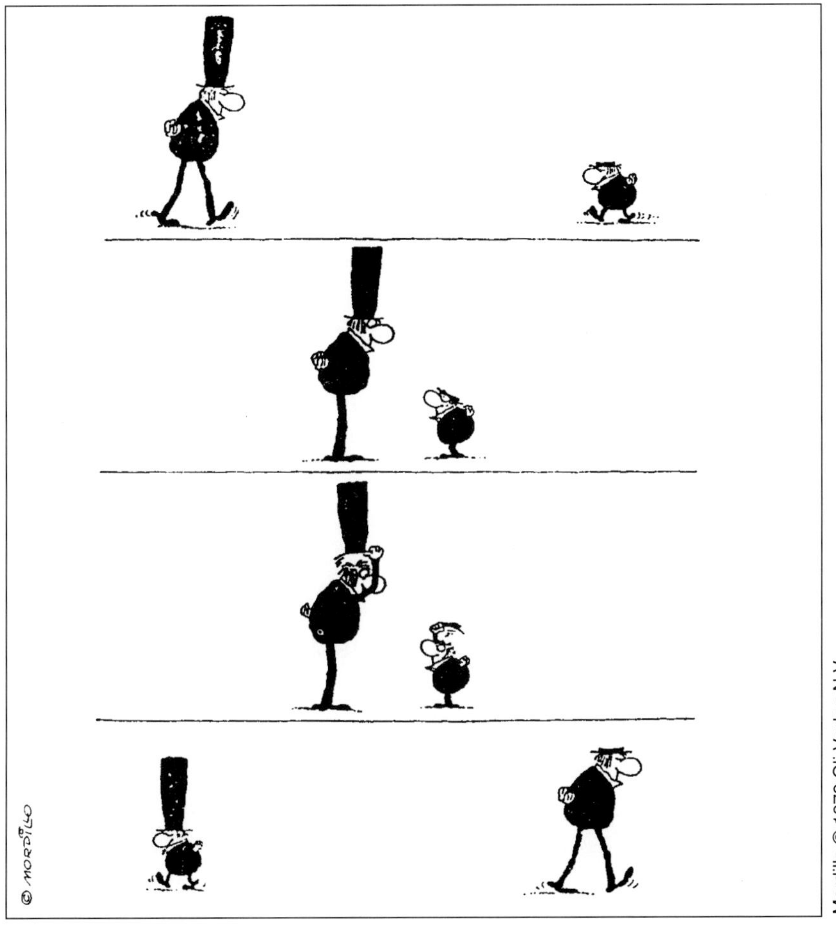

B. *Dictée.* ●○

1
Présent

Les mots se disent
Les mots se lisent

Les mots nous plaisent
ou nous déplaisent

Les mots s'écrivent
Les mots se suivent

Les mots vivent
et nous survivent

Les mots surgissent
Les mots grandissent

Les mots naissent
puis disparaissent

Verbes à deux bases, type 2 ➤➤ *Discrimination*

Écoutez et classez les formes verbales selon la consonne finale que vous entendez et sa présence dans l'infinitif.

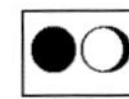

sortir • conduire • choisir • écrire • entendre • convaincre
plaire • se connaître • mentir • réfléchir • se perdre • suivre
vieillir • descendre • servir • permettre • se taire • répondre
vivre • lire • disparaître • promettre • dormir • s'interrompre.

	LA CONSONNE FIGURE DANS L'INFINITIF	LA CONSONNE NE FIGURE PAS DANS L'INFINITIF
[t]	*ils sor**t**ent (sor**t**ir)*	
[d]		
[s]		
[z]		*elles condui**s**ent (conduire)*
[v]		
autres consonnes		

1 Présent

1 2 3 — **6 4 5**

Base longue =
base courte + consonne

• Consonnes les plus fréquentes [s], [z], [t], [d]

+ [s] **FINIR**

je	fini	s	[fini]
tu	fini	s	
il	fini	t	
ils	finiss	ent	[finis]
nous	finiss	ons	
vous	finiss	ez	

- grandir, vieillir, rougir, applaudir
- paraître, disparaître, comparaître, naître, (re)connaître
- croître et ses composés
- maudire

+ [z] **SE TAIRE**

je me	tai	s	[tɛ]
tu te	tai	s	
il se	tai	t	
ils se	tais	ent	[tɛz]
nous nous	tais	ons	
vous vous	tais	ez	

- prédire, interdire, MAIS ——➤ **ATTENTION**
- (re)lire, élire, suffire, luire
- cuire, nuire, détruire
- coudre
- réduire, traduire, introduire, conduire, (re)produire
- plaire, déplaire, se complaire

ATTENTION

je	dis
tu	dis
il	dit
ils	disent
nous	disons
vous	dites

et redire

+ [t] **SORTIR**

je	sor	s	[sɔʀ]
tu	sor	s	
il	sor	t	
ils	sort	ent	[sɔʀt]
nous	sort	ons	
vous	sort	ez	

- mentir, partir, sentir, consentir
- battre, combattre
- mettre, promettre, admettre

+ [d] **ENTENDRE**

j'	entend	s	[ãtã]
tu	entend	s	
il	entend		
ils	entend	ent	[ãtãd]
nous	entend	ons	
vous	entend	ez	

- attendre, prétendre, rendre, (re)vendre, suspendre, tendre
- correspondre, fondre, répondre
- tordre, mordre

• Autres consonnes

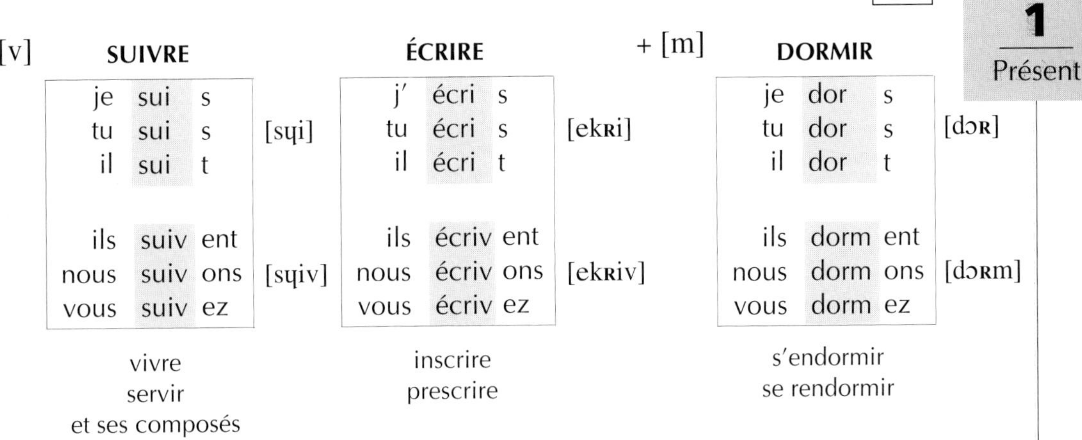

+ [v] **SUIVRE**

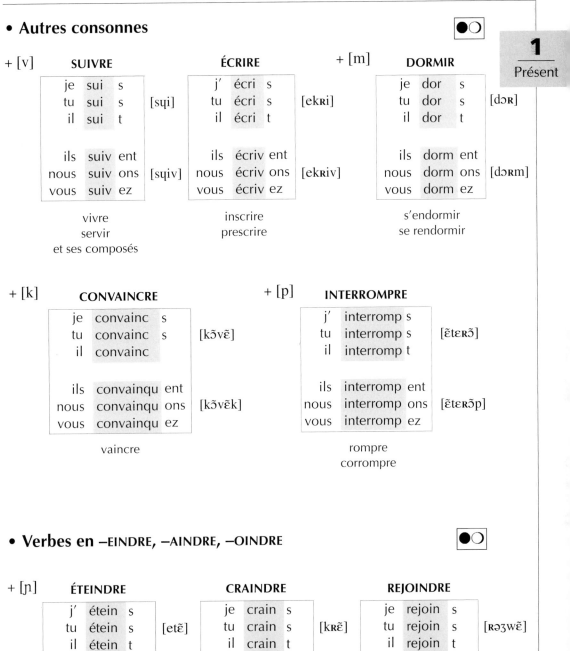

je	sui	s	
tu	sui	s	[sɥi]
il	sui	t	
ils	suiv	ent	
nous	suiv	ons	[sɥiv]
vous	suiv	ez	

vivre
servir
et ses composés

ÉCRIRE

j'	écri	s	
tu	écri	s	[ekʀi]
il	écri	t	
ils	écriv	ent	
nous	écriv	ons	[ekʀiv]
vous	écriv	ez	

inscrire
prescrire

+ [m] **DORMIR**

je	dor	s	
tu	dor	s	[dɔʀ]
il	dor	t	
ils	dorm	ent	
nous	dorm	ons	[dɔʀm]
vous	dorm	ez	

s'endormir
se rendormir

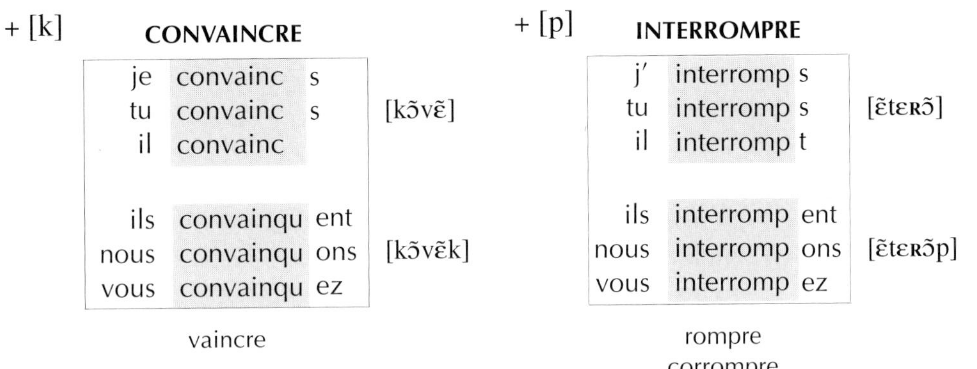

+ [k] **CONVAINCRE**

je	convainc	s	
tu	convainc	s	[kɔ̃vɛ̃]
il	convainc		
ils	convainqu	ent	
nous	convainqu	ons	[kɔ̃vɛ̃k]
vous	convainqu	ez	

vaincre

+ [p] **INTERROMPRE**

j'	interromp	s	
tu	interromp	s	[ɛ̃tɛʀɔ̃]
il	interromp	t	
ils	interromp	ent	
nous	interromp	ons	[ɛ̃tɛʀɔ̃p]
vous	interromp	ez	

rompre
corrompre

• Verbes en –EINDRE, –AINDRE, –OINDRE

+ [ɲ] **ÉTEINDRE**

j'	étein	s	
tu	étein	s	[etɛ̃]
il	étein	t	
ils	éteign	ent	
nous	éteign	ons	[etɛɲ]
vous	éteign	ez	

atteindre
étreindre

CRAINDRE

je	crain	s	
tu	crain	s	[kʀɛ̃]
il	crain	t	
ils	craign	ent	
nous	craign	ons	[kʀɛɲ]
vous	craign	ez	

contraindre
plaindre

REJOINDRE

je	rejoin	s	
tu	rejoin	s	[ʀəʒwɛ̃]
il	rejoin	t	
ils	rejoign	ent	
nous	rejoign	ons	[ʀəʒwaɲ]
vous	rejoign	ez	

joindre
adjoindre

1
Présent

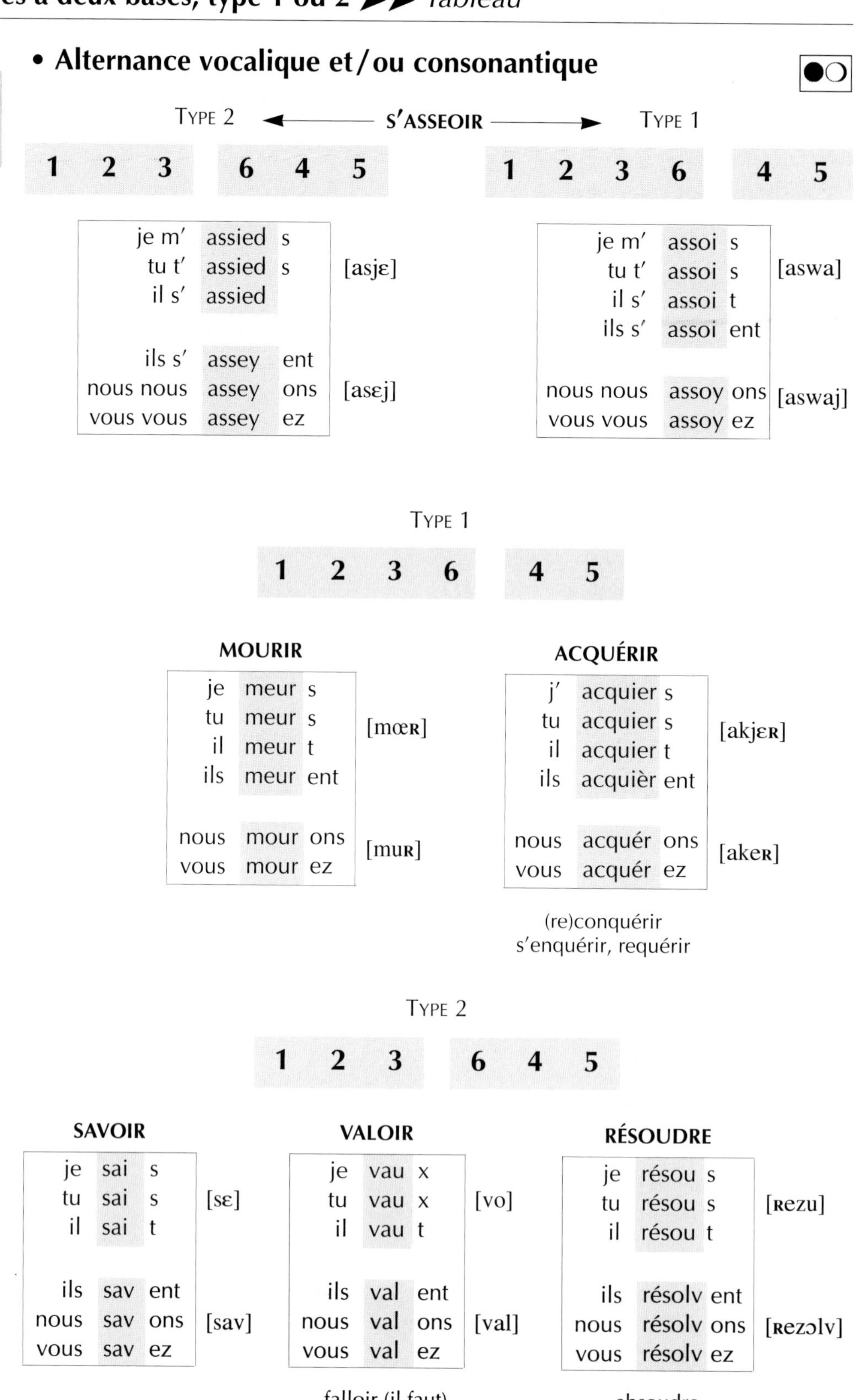

• Alternance vocalique et/ou consonantique

●○

TYPE 2 ◄—— **S'ASSEOIR** ——► TYPE 1

1 2 3 | 6 4 5 — **1 2 3 6 | 4 5**

je m'	assied	s	[asjɛ]
tu t'	assied	s	
il s'	assied		
ils s'	assey	ent	[asɛj]
nous nous	assey	ons	
vous vous	assey	ez	

je m'	assoi	s	[aswa]
tu t'	assoi	s	
il s'	assoi	t	
ils s'	assoi	ent	
nous nous	assoy	ons	[aswaj]
vous vous	assoy	ez	

TYPE 1

1 2 3 6 | 4 5

MOURIR

je	meur	s	[mœʀ]
tu	meur	s	
il	meur	t	
ils	meur	ent	
nous	mour	ons	[muʀ]
vous	mour	ez	

ACQUÉRIR

j'	acquier	s	[akjɛʀ]
tu	acquier	s	
il	acquier	t	
ils	acquièr	ent	
nous	acquér	ons	[akeʀ]
vous	acquér	ez	

(re)conquérir
s'enquérir, requérir

TYPE 2

1 2 3 | 6 4 5

SAVOIR

je	sai	s	[sɛ]
tu	sai	s	
il	sai	t	
ils	sav	ent	[sav]
nous	sav	ons	
vous	sav	ez	

VALOIR

je	vau	x	[vo]
tu	vau	x	
il	vau	t	
ils	val	ent	[val]
nous	val	ons	
vous	val	ez	

falloir (il faut)

RÉSOUDRE

je	résou	s	[ʀezu]
tu	résou	s	
il	résou	t	
ils	résolv	ent	[ʀezɔlv]
nous	résolv	ons	
vous	résolv	ez	

absoudre
dissoudre

A. *Écoutez et répétez.*

	PLURIEL	SINGULIER
SORTIR PARTIR SENTIR MENTIR PROMETTRE	Ils sortent [sɔʀt] Elles ne partent pas [paʀt] Ils sentent bon [sɑ̃t] Elles mentent [mɑ̃t] Ils promettent [pʀɔmɛt]	Il sort [sɔʀ] Elle ne part pas [paʀ] Il sent bon [sɑ̃] Elle ment [mɑ̃] Il promet [pʀɔmɛ]
ENTENDRE ATTENDRE DESCENDRE RÉPONDRE PERDRE	Elles entendent [ɑ̃tɑ̃d] Ils attendent [atɑ̃d] Ils descendent [desɑ̃d] Elles ne répondent pas [repɔ̃d] Ils perdent tout [pɛʀd]	Elle entend [ɑ̃tɑ̃] Il attend [atɑ̃] Il descend [desɑ̃] Elle ne répond pas [repɔ̃] Il perd tout [pɛʀ]
FINIR GRANDIR VIEILLIR CONNAÎTRE PARAÎTRE	Ils finissent [finis] Ils grandissent [gʀɑ̃dis] Elles vieillissent [vjɛjis] Elles connaissent [kɔnɛs] Ils paraissent [paʀɛs]	Il finit [fini] Il grandit [gʀɑ̃di] Elle vieillit [vjɛji] Elle connaît [kɔnɛ] Il paraît [paʀɛ]
LIRE CONDUIRE PLAIRE	Elles ne lisent pas [liz] Ils conduisent [kɔ̃dɥiz] Ils plaisent [plɛz]	Elle ne lit pas [li] Il conduit [kɔ̃dɥi] Il plaît [plɛ]
DORMIR	Ils dorment [dɔʀm]	Il dort [dɔʀ]

B. *Prononcez et écrivez le singulier.*

Ils vivent : ______________________

Ils mordent : ______________________

Ils se plaisent : ______________________

Ils s'inscrivent : ______________________

Ils promettent : ______________________

Ils rougissent : ______________________

Ils vendent : ______________________

Ils conduisent : ______________________

Ils s'endorment : ______________________

Ils partent : ______________________

Ils écrivent : ______________________

Ils se taisent : ______________________

A. *Entraînez-vous à poser ces questions.*

☞ adverbes, 186

1. Tu dors la fenêtre ouverte ? ⟶ *Vous dormez la fenêtre ouverte ?*
2. Tu vis avec tes parents ? seul ? en couple ? __________
3. Tu suis des cours de français ? __________
4. Tu écris beaucoup ? __________
5. Tu suis les gens dans la rue ? __________
6. Tu grandis encore ? __________
7. Tu agis instinctivement ou après réflexion ? __________
8. Tu rougis facilement ? __________
9. Tu réfléchis beaucoup ? __________
10. Tu ralentis en voiture quand tu vois un policier ? __________
11. Tu te nourris de façon équilibrée ? __________
12. Tu connais bien la géographie de ton pays ? __________
13. Tu reconnais facilement tes erreurs ? __________
14. Tu te mets facilement en colère ? __________
15. Tu mens souvent ? __________
16. Tu entends bien ? __________
17. Tu perds souvent ton temps ? __________
18. Tu conduis ? Tu conduis vite ? __________
19. Tu lis beaucoup ? Qu'est-ce que tu lis ? __________
20. Tu connais combien de langues ? __________

B. *Échangez.*

Faites des phrases avec les séries de verbes proposées (3e personne du singulier et du pluriel).

+ [s]

HOMME(S)

Naître
Grandir
Vieillir

Exemples :

On naît, on grandit, on vieillit.
Tout le monde naît, grandit, vieillit.
Les hommes naissent, grandissent puis vieillissent.

+ [s]

ARCHITECTES

Démolir
Agrandir
Embellir

MALADE(S)

Faiblir
Maigrir
Puis guérir, grossir et se rétablir

+ [z]

INTERPRÈTE(S)

Lire
S'instruire
Traduire

+ [d]

STANDARDISTE(S)

Attendre devant le téléphone
Entendre le téléphone
Répondre au téléphone

+ [t]

HOMME(S) POLITIQUE(S)

Se battre pour ses idées
Combattre ses adversaires
Promettre beaucoup de choses
Mentir de temps en temps

+ [v]

ÉTUDIANT(S)

S'inscrire dans une université
Suivre les cours à l'université
Écrire ou non une thèse
Vivre dans un foyer d'étudiants

SERVEUR(S)

Servir les clients
Desservir les tables

+ [ɲ]

MALADE(S)

Se plaindre
Geindre

LÉGALISTE(S)

Craindre la loi
Ne pas enfreindre la loi

AMOUREUX

Se rejoindre
S'étreindre

1
Présent

Souvenez-vous
Les joies reviennent après les peines
Souvenons-nous
Le jour revient après la nuit
Souvenez-vous
Les rires reviennent après les larmes
Souvenons-nous
Le bleu revient après le gris

MLC.

Verbes à trois bases ➤➤ *Observation*

Écoutez, soulignez les formes des verbes pouvoir, vouloir et devoir puis réécrivez les phrases dans un tableau.

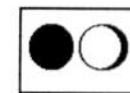

Pouvoir

Je peux sortir ? Qui peut répondre à ma question ? On peut utiliser un dictionnaire ? Est-ce que vous pouvez répéter ? Bien, on peut passer à la leçon suivante. Vous pouvez écrire la phrase au tableau ?

Devoir

Qu'est-ce qu'on doit faire ? Je dois vous mettre une note. Tous les élèves doivent participer. Nous devons refaire l'exercice ? Vous ne devez pas vous décourager.

Vouloir

Vous voulez dire quelque chose ? Vous voulez faire une pause ? Je ne comprends pas ce mot. Qu'est-ce que ça veut dire ? Vous voulez écouter une chanson ? Nous ne voulons pas travailler aujourd'hui. Est-ce que deux personnes veulent bien jouer la scène ?

Phrases d'élèves au professeur	Phrases du professeur aux élèves
Je peux sortir ?	*Qui peut répondre à ma question ?*
______________	______________
______________	______________
______________	______________
______________	______________
______________	______________
______________	______________
______________	______________
______________	______________

Phrases d'élèves ou de professeurs
Je ne comprends pas ce mot.
____
____
____
____

1
Présent

1 2 3 6 4 5

• Pouvoir, vouloir, devoir, recevoir, boire (UNE DIZAINE DE VERBES)

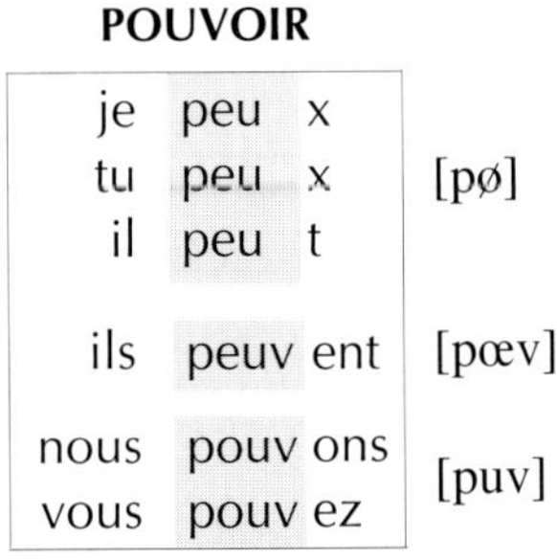

POUVOIR

je	peu	x	
tu	peu	x	[pø]
il	peu	t	
ils	peuv	ent	[pœv]
nous	pouv	ons	[puv]
vous	pouv	ez	

émouvoir

VOULOIR

je	veu	x	
tu	veu	x	[vø]
il	veu	t	
ils	veul	ent	[vœl]
nous	voul	ons	[vul]
vous	voul	ez	

DEVOIR

je	doi	s	
tu	doi	s	[dwa]
il	doi	t	
ils	doiv	ent	[dwav]
nous	dev	ons	[dəv]
vous	dev	ez	

RECEVOIR

je	reçoi	s	
tu	reçoi	s	[ʀəswa]
il	reçoi	t	
ils	reçoiv	ent	[ʀəswav]
nous	recev	ons	[ʀəsəv]
vous	recev	ez	

apercevoir,
concevoir
décevoir

BOIRE

je	boi	s	
tu	boi	s	[bwa]
il	boi	t	
ils	boiv	ent	[bwav]
nous	buv	ons	[byv]
vous	buv	ez	

• Prendre, venir, tenir et leurs composés

PRENDRE

je	prend	s	
tu	prend	s	[pʀɑ̃]
il	prend		
ils	prenn	ent	[pʀɛn]
nous	pren	ons	[pʀən]
vous	pren	ez	

apprendre
comprendre
surprendre

VENIR

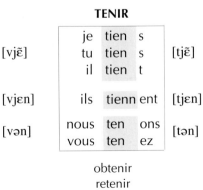

je	vien	s	
tu	vien	s	[vjɛ̃]
il	vien	t	
ils	vienn	ent	[vjɛn]
nous	ven	ons	[vən]
vous	ven	ez	

devenir
parvenir
survenir

TENIR

je	tien	s	
tu	tien	s	[tjɛ̃]
il	tien	t	
ils	tienn	ent	[tjɛn]
nous	ten	ons	[tən]
vous	ten	ez	

obtenir
retenir
soutenir

A. *Écoutez.*

Je ne me souviens pas bien
Car je ne retiens rien
Si tu viens de très loin

Je ne me souviens pas bien
Car je ne retiens rien
Si tu reviens demain

Je ne me souviens pas bien
Car je ne retiens rien
A qui je tiens la main

B. *Conjuguez comme dans l'exemple.*

Exemple :

J'(*apprendre*).
Je (*comprendre*).
Ça me (*surprendre*).

J'apprends, je comprends !
Ça me surprend !

1. Nous (*comprendre*). Vous (*comprendre*).
   Ils (*comprendre*). Elles (*comprendre*).
   Tout le monde (*comprendre*).
   Ça vous (*surprendre*) ?

2. Ça te (*convenir*) si je viens ?
   Et s'il (*venir*), ça te (*convenir*) ?
   Et s'ils (*venir*), ça te (*gêner*) ?

3. Vous (*revenir*), vous (*se souvenir*) ?
   Vous (*revenir*) le mois prochain ?

4. Elle (*s'abstenir*) et il (*s'abstenir*).
   Elles (*s'abstenir*) et ils (*s'abstenir*).
   Tout le monde (*s'abstenir*)
   si je (*comprendre*) bien ?

Complétez oralement puis écrivez les formes.

1
Présent

• Prendre, comprendre, apprendre

1. Qu'est-ce que vous (*prendre*) comme boisson ? *vous prenez*
2. Ils (*prendre*) le train demain matin. ____________
3. Je (*prendre*) un bain tous les matins. ____________
4. Tu (*apprendre*) le français ? ____________
5. Nous ne (*comprendre*) pas bien. ____________
6. Elle (*comprendre*) vite, elle (*apprendre*) vite. ____________
7. Vous (*apprendre*) à conduire ? ____________
8. À quel âge les enfants (*apprendre*)-ils à lire ? ____________

• Venir, revenir, se souvenir

1. Qui (*venir*) avec moi ? ____________
2. Vous (*venir*) nous voir quand ? ____________
3. Nous (*venir*) vous remercier. ____________
4. Vous (*revenir*) à quelle heure ? ____________
5. Ils (*revenir*) de vacances en septembre. ____________
6. Vous (*se souvenir*) de moi ? ____________
7. Je ne (*se souvenir*) pas de son nom. ____________
8. Qui (*se souvenir*) de son adresse ? ____________

• Tenir, obtenir, retenir, contenir, soutenir

1. Passe, je (*tenir*) la porte ! ____________
2. Qu'est-ce qu'il (*tenir*) dans sa main droite ? ____________
3. (*Tenir*) ! Prenez, c'est pour vous. ____________
4. Je ne (*retenir*) pas les numéros de téléphone. ____________
5. Nous n'(*obtenir*) pas satisfaction. ____________
6. Que (*contenir*) votre valise ? ____________
7. Ces cigarettes (*contenir*) peu de nicotine. ____________
8. Je vous (*soutenir*). ____________

Verbes à trois bases ➤➤ *Entraînement*

A. *Complétez.*

- Être pressé/devoir partir/ne pas pouvoir rester

1. Je ______ pressé(e), je ______ partir, je ne ______ pas rester.
2. Nous ______ pressés, nous ______ partir, nous ne ______ pas rester.
3. Il ______________________________
4. Vous ______________________________
5. Ils ______________________________
6. Elles ______________________________

B. *Formez des phrases oralement à partir des éléments suivants. Variez les personnes.*

1. Ne pas vouloir sortir/faire froid.
2. Être désolé(e)/ne pas avoir le temps/devoir rentrer.
3. Avoir rendez-vous/ne pas pouvoir rester.
4. Ne pas savoir/ne pas pouvoir répondre.
5. Être énervé/ne pas vouloir de café.
6. Avoir mal à la tête/ne pas vouloir sortir.
7. Être étranger/ne pas pouvoir répondre.
8. Devoir aller téléphoner/devoir partir.
9. Être en retard/devoir se dépêcher.
10. Ne pas pouvoir dormir/faire du bruit.
11. Prendre un taxi/être en retard.
12. Ne pas pouvoir sortir/être malade.
13. Venir vous voir/vouloir vous parler.
14. Recevoir des amis/ne pas pouvoir venir.

Test oral	***Test écrit***
1. À quelle heure nous (devoir) partir ?	*nous devons*
2. Ce livre me (décevoir) beaucoup.	*ce livre me déçoit*
3. D'accord, je (vouloir) bien.	__________
4. Elle (vouloir) vous parler.	__________
5. Elles (recevoir) leur bourse demain.	__________
6. Est-ce que nous (pouvoir) passer chez vous ?	__________
7. Il ne (pouvoir) pas venir, il est malade.	__________
8. Ils (vouloir) une chambre confortable.	__________
9. Ils (devoir) me téléphoner ce soir.	__________
10. Ils ne (pouvoir) pas répondre en français.	__________
11. Je (pouvoir) vous aider ?	__________
12. Je (devoir) payer par chèque ?	__________
13. Je l'(apercevoir) de temps en temps.	__________
14. Je ne (boire) pas de café le soir.	__________
15. Les Français (boire) du vin à table.	__________
16. Nous (apercevoir) enfin le village.	__________
17. Nous ne (boire) pas d'alcool.	__________
18. Nous ne (vouloir) pas habiter en ville.	__________
19. On (boire) beaucoup de café en Belgique.	__________
20. On ne (devoir) pas fumer ici ! C'est interdit !	__________
21. Qu'est-ce que vous (vouloir) boire ?	__________
22. Qu'est-ce que vous (boire) ?	__________
23. Tu (apercevoir) quelque chose ?	__________
24. Tu (devoir) partir ? déjà ! C'est dommage !	__________
25. Tu (pouvoir) me téléphoner ce soir ?	__________
26. Tu ne (boire) pas ? Tu n'as pas soif ?	__________
27. Tu ne (vouloir) pas aller au cinéma ce soir ?	__________
28. Vous (pouvoir) répéter, s'il vous plaît ?	__________
29. Vous (recevoir) des amis ?	__________
30. Vous me (devoir) 100 francs !	__________

Impératif

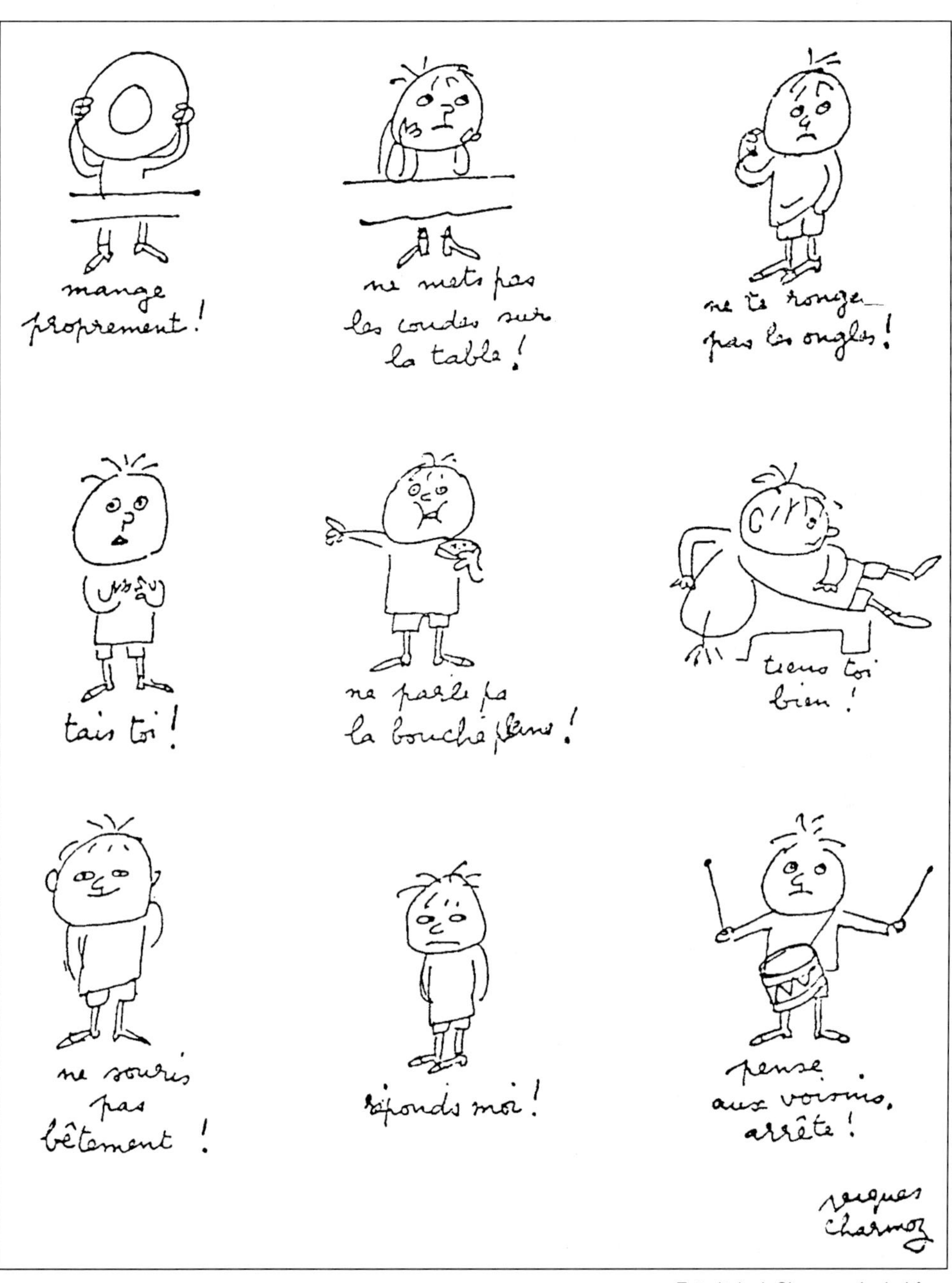

mange proprement !
ne mets pas les coudes sur la table !
ne te ronge pas les ongles !
tais toi !
ne parle pas la bouche pleine !
tiens toi bien !
ne souris pas bêtement !
réponds moi !
pense aux voisins. arrête !
Jacques Charmoz

Extrait de J. Charmoz, *Le bel âge*.

• **Formation régulière**

Bases de l'impératif = bases du présent

	PRÉSENT	IMPÉRATIF	
MANGER →	Tu manges	Mange	Ne mange pas
	Nous mangeons	Mangeons	Ne mangeons pas
	Vous mangez	Mangez	Ne mangez pas
ATTENDRE →	Tu attends	Attends	N'attends pas
	Nous attendons	Attendons	N'attendons pas
	Vous attendez	Attendez	N'attendez pas
SE LEVER →	Tu te lèves	Lève-toi	Ne te lève pas
	Nous nous levons	Levons-nous	Ne nous levons pas
	Vous vous levez	Levez-vous	Ne vous levez pas

Attention ! Orthographe :

Pas de « s » • après « e » : *Regarde ! Écoute ! Ouvre !*
• pour le verbe aller : *Va !*

« s » maintenu devant « en » et « y » :
Parle à tout le monde MAIS *Parles-en à tout le monde*
Va à la gare MAIS *Vas-y*

• **Formation irrégulière**

4 verbes

ÊTRE → Sois heureux
Soyons attentifs
Soyez à l'heure

AVOIR → Aie un peu de patience
Ayons confiance
Ayez l'amabilité de...

SAVOIR → Sache que je pense à toi
Sachons garder le silence
Sachez être discret

VOULOIR → Veuillez vous asseoir

A. *Changez de forme d'impératif : vous ⟶ tu.*

1. UN RADIOLOGUE
« Respirez ! Ne respirez plus. Respirez ! » *Respire ! Ne respire plus ! Respire !*

2. UN POLICIER
« Avancez ! Avancez ! Ne restez pas là. » ____________

3. UN PROFESSEUR
« Chut ! Écoutez, ne parlez pas ! ____________
Ne faites pas de bruit, soyez attentifs ! » ____________

4. UN ENTRAÎNEUR DE GYMNASTIQUE
« Courez ! Courez ! Courez ! ____________
Arrêtez ! Respirez ! Soufflez ! » ____________

5. UN DENTISTE
« Ouvrez la bouche ! N'ayez pas peur ! ____________
Fermez la bouche ! Voilà ! c'est fini ! » ____________

6. UN PHOTOGRAPHE
« Regardez par ici, regardez par là ! ____________
Souriez ! Ne bougez plus ! Merci ! » ____________

7. UN GARDIEN DE MUSÉE
« Ne touchez pas, s'il vous plaît. Merci ! » ____________

B. *Transformez ces phrases comme dans l'exemple.*

1. *Le radiologue dit à son patient de respirer puis de ne plus respirer puis de respirer à nouveau.*
2. Le policier demande à l'automobiliste de ____________
____
3. Le professeur demande à ses élèves de ____________
____
4. L'entraîneur demande à ses sportifs de ____________ puis de ____________
____
5. Le dentiste demande à son client de ____________
____
6. Le photographe invite son client à ____________
____
7. Le gardien de musée prie les visiteurs de ____________
____

A. *Lisez les phrases suivantes.*

Calme-toi	Excuse-toi
Explique-toi	Décide-toi
Lave-toi	Dépêche-toi
Prépare-toi	Repose-toi

Ne t'inquiète pas
Ne t'énerve pas
Ne te presse pas
Ne te cache pas

Je te dis de (ne pas)
Je te demande de (ne pas)
Je te supplie de (ne pas)
Je te conseille de (ne pas)

Que pouvez-vous dire à quelqu'un :

1. qui est énervé *« Calme-toi, ne t'énerve pas je te demande de te calmer. »*
2. qui est sale ______
3. qui fait tout trop vite ______
4. qui est lent ______
5. qui hésite ______
6. qui n'est pas prêt ______
7. qui n'est pas clair ______
8. qui est fatigué ______
9. qui n'est pas correct ______
10. qui a peur ______

B. *Formulez les deux autres formes de l'impératif de ces verbes.*

1. Calme-toi	*Calmez-vous*	*Calmons-nous*
2. Repose-toi	______	______
3. Dépêche-toi	______	______
4. Prépare-toi	______	______
5. Ne t'énerve pas	*Ne vous énervez pas*	*Ne nous énervons pas*
6. Ne te presse pas	______	______
7. Ne t'inquiète pas	______	______
8. Ne te cache pas	______	______

Écoutez puis écrivez.

1. Si vous avez besoin de quelque chose, ______

2. Si tu as cinq minutes, ______

3. Si tu veux me faire plaisir, ______

4. Si tu y penses, ______

5. Si tu ne me crois pas, ______

6. Si vous êtes fatigué, ______

7. Si vous pouvez vous libérer, ______

8. Si tu le vois, ______

9. Si vous n'êtes pas satisfait, ______

10. S'il refuse, ______

11. Si vous ne recevez pas votre commande, ______

12. Si vous prenez la route ce week-end, ______

13. Si c'est trop difficile, ______

14. Si ça vous intéresse, ______

A. *Lisez ces quelques règles françaises traditionnelles de savoir-vivre à table.*

- Ne parlez pas la bouche pleine.
- Ne commencez pas à manger avant la maîtresse de maison.
- Ne faites pas de bruit en mangeant.
- Ne mettez pas vos mains sous la table.
- Ne videz pas votre verre d'un trait.
- Ne coupez pas votre salade avec un couteau.
- Ne mangez pas avec les doigts (excepté les artichauts, les asperges et certains crustacés).
- Lorsque vous êtes invité, ne pliez pas votre serviette à la fin du repas.
- Lorsque vous êtes invité, ne vous asseyez pas à table avant d'y être invité.
- Ne quittez pas la table sans vous excuser.
- Ne saucez pas trop énergiquement votre assiette avec du pain.
- Ne coupez pas votre pain avec un couteau.
- Ne vous curez pas les dents.
- Ne vous servez pas vous-même.

B. *Classez-les selon l'importance que vous leur accordez. Comparez vos classements. Pouvez-vous vous mettre d'accord sur quelques-unes de ces règles ? Lesquelles vous paraissent très formelles, démodées, inexplicables, normales, universelles ?*

C. *Imaginez en groupe un autre manuel de savoir-vivre. À vous de le colorer à votre manière, comme ceci par exemple :*

- Au café, ne partez pas avec le pourboire de la table voisine.
- À l'aéroport, ne partez pas avec une autre valise que la vôtre.
- Au restaurant, ne piquez pas de frites dans l'assiette d'un client inconnu.
- Après un dîner, ne demandez pas d'emporter les restes.
- Quand il pleut, ne vous glissez pas sans y être invité sous le parapluie d'un(e) inconnu(e).

A. *Lisez ces titres de journaux.*

LES ÉTUDIANTS MANIFESTENT DEVANT
LE MINISTÈRE DE L'ÉDUCATION NATIONALE

Le printemps arrive ! L'hiver se termine !

Des négociations s'engagent
entre les syndicats et le patronat

Une princesse épouse un prince charmant

Une bombe explose à l'aéroport d'Orly et fait cinq morts

LA TERRE TREMBLE À LOS ANGELES

Un trésorier disparaît avec la caisse !

ENFIN LA DÉCRUE !
LES EAUX DE LA SEINE BAISSENT

UN CHAUFFARD RENVERSE UN PIÉTON ET S'ENFUIT

G. DELAGE POURSUIT SA TRAVERSÉE
DE L'ATLANTIQUE À LA NAGE

DEUX JEUNES GARÇONS
DISPARAISSENT À TOULOUSE

Élections présidentielles :
dimanche prochain, les Français se rendent aux urnes

Remarque : le présent peut avoir aussi une valeur de futur et de passé.

B. *Par groupe préparez des titres de nouvelles radiophoniques. Chaque groupe peut se spécialiser : nouvelles politiques, économiques, culturelles, sportives, scientifiques, universitaires ou scolaires, vie quotidienne, faits divers, faits imaginaires. Présentez-les oralement ou enregistrez-les.*

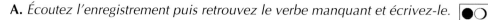

A. *Écoutez l'enregistrement puis retrouvez le verbe manquant et écrivez-le.* 

QUELQUES ÉVÉNEMENTS DE 1946 À 1995 EN FRANCE

1946 Le premier festival de cinéma de Cannes ________ ses portes.

1947 Albert Camus ________ *La peste.*

1948 Marcel Cerdan ________ champion du monde de boxe.

1950 Edith Piaf ________ dans le monde de la chanson.

1952 François Mauriac ________ le prix Nobel de littérature.

1953 Le journal *L'Express* ________ son premier numéro.

1955 Coco Chanel ________ sa maison de couture.

1959 Le rock ________ très populaire.

1961 La première laverie automatique ________ près de Paris.

1963 Les chanteurs yé-yé ________ à l'Olympia.

1964 Jean-Paul Sartre ________ *Les mots,* une autobiographie.

1965 Les Beatles ________ un immense succès.

1968 Les skieurs français ________ de nombreuses médailles aux Jeux olympiques de Grenoble.

1974 On ________ le centre Georges Pompidou (Beaubourg).

1980 De nombreuses villes ________ des rues piétonnes.

1981 Les parlementaires français ________ la peine de mort.

1991 Un Français, Gérard d'Aboville, ________ l'Atlantique à la rame.

1992 Les Jeux olympiques d'hiver ________ à Albertville en Savoie.

1995 Le cinéma ________ ses 100 ans.

Remarque: des faits passés peuvent être relatés au présent.

B. *À votre tour, faites un inventaire des événements marquants de ces dernières années ou décennies dans votre pays.*

CALENDRIER DES COUTUMES

- En janvier, les Français se souhaitent une bonne année et mangent la galette des Rois.
- En février, on fait sauter les crêpes dans la poêle à la Chandeleur. Les enfants se déguisent pour le Carnaval. Dans les campagnes, ici ou là, on brûle une marionnette représentant monsieur Carnaval : c'est la fin de l'hiver.
- En mars ou avril, à Pâques, les parents cachent dans les jardins des œufs ou des lapins en chocolat. Les enfants les cherchent dès que les cloches de l'église sonnent.
- Le 1er avril, les enfants découpent des poissons dans du papier et les accrochent dans le dos des gens. On raconte à ses amis des fausses informations.
- Le brin de muguet que l'on vous offre le 1er mai vous porte bonheur toute l'année. C'est aussi ce jour-là la fête du travail depuis 1947.
- Le 24 juin, c'est la Saint-Jean. On fête le solstice d'été dans certaines régions en allumant de grands feux.
- Le 14 juillet, c'est la fête nationale. Les Français commémorent la prise de la Bastille de 1789 et la Révolution.
- Le 15 août, c'est l'Assomption. Ce jour est férié en France depuis le XVIIe siècle. On fête aussi la fin des moissons.
- En septembre, à la Saint-Michel (29 septembre), les troupeaux descendent des alpages.
- Octobre, c'est le mois des vendanges.
- Début novembre, les Français se rendent dans les cimetières pour fleurir la tombe de leurs morts. Le troisième jeudi de novembre on déguste le beaujolais nouveau. Le 25 novembre, c'est la Sainte-Catherine. Les jeunes filles de 25 ans pas encore mariées organisent un bal et se coiffent d'un chapeau extraordinaire.
- Le 24 décembre, c'est la nuit de Noël. Certaines familles vont à la messe de minuit, puis on réveillonne avec la dinde aux marrons et la traditionnelle bûche de Noël. Le soir les enfants mettent leurs chaussures près de la cheminée. Au petit matin, ils découvrent les cadeaux apportés par le père Noël pendant la nuit.

Quelles sont les fêtes et traditions dans votre pays ?

À quelle tradition correspond cette illustration ?

1
Présent

Testez votre compétence orale puis écrite :
– à produire des questions correctes à partir des verbes proposés (tu, vous),
– à y répondre (je).

QUE FAITES-VOUS ?

1. **Quand vous avez peur ?**
crier, pleurer, chanter
appeler, rester muet
trembler, rire nerveusement

2. **Quand vous avez mal ?**
souffrir en silence, pleurer
gémir, se taire
se plaindre

3. **Quand vous êtes en colère ?**
bouder, crier
claquer les portes
s'enfermer dans sa chambre
contenir sa colère, devenir méchant

4. **Quand vous avez un problème difficile à résoudre ?**
abandonner
demander conseil
résoudre le problème seul(e)
réfléchir longuement
agir instinctivement

5. **Quand vous êtes débordé ?**
rester calme, s'énerver
agir précipitamment
devenir irritable, prendre son temps

6. **Quand vous avez une insomnie ?**
se lever ou rester couché(e)
attendre le sommeil ou lire
prendre un somnifère, boire

7. **Quand vous tombez amoureux ?**
cacher son sentiment
manifester son sentiment
rougir ou pâlir
perdre l'appétit

8. **Quand on n'est pas d'accord avec vous dans une discussion**
changer de sujet
poursuivre la discussion
essayer de convaincre
argumenter paisiblement
se mettre en colère, perdre son calme

Que fait un agriculteur ?

Il travaille la terre,
il sème, plante, récolte
et vend sa récolte.

Que fait un coiffeur ?

Que fait un médecin ?

Que fait un chef d'État ?

Que fait un policier ?

Que font les touristes ?

Que font les étudiants de langue ?

Que font les retraités ?

Que fait un grand sportif ?

Que font les bébés ?

Que fait un philosophe ?

Le passé

Il a fermé la porte
Il a caché la clé
Il a pris le chemin
Et il s'en est allé

Il a couru les routes,
a parcouru les mers
Il a vidé ses poches
et usé ses souliers

Il est parti plus loin
Il a cherché de l'or
Il a vidé des verres
et a conquis des cœurs

Puis il s'est souvenu
Il a repris la route,
est arrivé à l'aube
et a cherché la clé.

Il a tourné la clé
Il a poussé la porte
Elle lui a dit « c'est toi ? »
Tu vois, je t'attendais.

MLC.

Écoutez, soulignez les formes du passé récent.

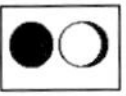

BUREAU 200

– Jacques Duchêne n'est pas là ?
– Ah, il vient de quitter le bureau !

BUREAU 204

– Je cherche Jacques Duchêne.
– Je viens de le voir passer dans le couloir.

BUREAU 209

– Tu n'as pas vu Jacques ?
– Je viens d'arriver, je n'ai vu personne.

DANS LE COULOIR DU DEUXIÈME ÉTAGE

– Mademoiselle, vous n'avez pas vu Monsieur Duchêne ?
– Si, si, il vient de prendre l'ascenseur.

BUREAU 101

– Duchêne n'est pas passé ?
– Non, sa secrétaire vient d'appeler, elle le cherche.

DANS LE COULOIR DU PREMIER ÉTAGE

– Tu ne sais pas où est Jacques ?
– Il vient de redescendre dans son bureau.

DANS L'ASCENSEUR

– Je cherche Duchêne partout !
– Duchêne ! je viens de le voir sortir en courant.

DANS LE BUREAU DE JACQUES DUCHÊNE

– Monsieur Duchêne est parti ?
– Oui, il vient de partir à l'instant.
– Oh non ! mais où ?
– À la clinique ; sa femme vient d'appeler. Elle va accoucher.

Remarque : le passé récent exprime un événement proche psychologiquement ou chronologiquement du moment où l'on parle.

Complétez les dialogues avec le passé récent.

Exemples :

– *Tu as vu Jean ?*	– *Tu as vu Jean ?*
– *Oui, il vient de passer.*	– *Je viens de boire un café avec lui.*

1. – Le film est commencé ?
   – Oui, ça ______________________________________

2. – Tu n'as pas une cigarette ?
   – Non, je______________________________________

3. – Il y a longtemps que tu as déjeuné ?
   – Non, je______________________________________

4. – Où est Jacques ?
   – Il______________________________________

5. – Tu es toujours célibataire ?
   – Non, je______________________________________

6. – Sylvie n'a pas téléphoné ?
   – Si, elle______________________________________

7. – Tu sais que Jean a réussi son concours ?
   – Oui, je ______________________________________

8. – Vous n'êtes plus en vacances ?
   – Non, je______________________________________

9. – Elle est jolie, ta veste ! Elle est neuve ?
   – Oui, je ______________________________________

10. – Elle est à l'hôpital ?
    – Oui, elle______________________________________

A. *Écoutez.*

PRÉSENT	PASSÉ COMPOSÉ
1. Je joue	1. J'ai joué
Je mange	J'ai mangé
J'accepte	J'ai accepté
Je paye	J'ai payé
Je réfléchis	J'ai réfléchi
Je finis	J'ai fini
Je rougis	J'ai rougi
Je grandis	J'ai grandi
2. Je pense à vous	2. J'ai pensé à vous
J'aime ce film	J'ai aimé ce film
Je travaille ici	J'ai travaillé ici
Je commande deux cafés	J'ai commandé deux cafés
Je finis de manger	J'ai fini de manger
J'écris une carte	J'ai écrit une carte
Je remplis le chèque	J'ai rempli le chèque
3. Il s'habille	3. Il s'est habillé
Elle se lève	Elle s'est levée
Il se plaint	Il s'est plaint
Elle se fâche	Elle s'est fâchée
Tu te reposes ?	Tu t'es reposé(e) ?
Tu te réveilles tôt ?	Tu t'es réveillé(e) tôt ?
Tu te laves ?	Tu t'es lavé(e) ?
Tu te recouches	Tu t'es recouché(e)

B. *Écoutez à nouveau et soulignez la phrase que vous avez entendue.*

PRÉSENT OU PASSÉ COMPOSÉ ?

Exemple : *Je joue* *<u>J'ai joué</u>*

A. *Écoutez, soulignez les verbes au passé composé puis jouez les dialogues à deux.* 

1. – Tu cherches toujours un appartement ?
– Non, je ne cherche plus, j'ai trouvé !
– Tu as trouvé vite.
– Oui.

2. – Attends-moi, je vais payer.
– C'est fait, j'ai payé.
– Tu as payé ? Eh bien merci !

3. – On téléphone à Jacques ?
– Je lui ai déjà téléphoné. Il est d'accord.

4. – Tu termines à quelle heure ?
– Ça y est, j'ai fini, j'ai terminé.

5. – On va déjeuner. Tu viens avec nous ?
– J'ai déjeuné. Merci !

6. – Ne regarde pas, c'est horrible !
– Trop tard. J'ai vu !

7. – Il part quand ?
– Il est déjà parti !
– Il est parti ! déjà !

8. (Une voix, d'une autre pièce)
– Les enfants ! ! ! Éteignez la télé ! ! !
– On a éteint !

9. – Pas de problème pour la chambre ?
– Non, vous avez réservé, elle est retenue à votre nom.

10. – Tu as grandi !
– J'ai 7 ans !
– Tu es une grande maintenant.

11. – Allô ! Jacques ?
– Non, c'est Philippe. Jacques est sorti.

B. *Observez.*

Formation du passé composé

Passé composé = auxiliaire être ou avoir + participe passé

J'**ai** trouvé	Je **suis** parti(e)	Je me **suis** dépêché(e)
Tu **as** trouvé	Tu **es** parti(e)	Tu t'**es** dépêché(e)
Il **a** trouvé	Il **est** parti	Il s'**est** dépêché
Nous **avons** trouvé	Nous **sommes** parti(e)s	Nous nous **sommes** dépêché(e)s
Vous **avez** trouvé	Vous **êtes** parti(e)(s)	Vous vous **êtes** dépêché(e)(s)
Ils **ont** trouvé	Ils **sont** partis	Ils se **sont** dépêchés

☞ être ou avoir, 61
participe passé, 63

Entraînez-vous à poser des questions à la forme affirmative et négative.

Exemple :

À propos d'un travail ou d'une occupation :
Tu as fini ou… ? *Tu as fini ou tu n'as pas fini ?*

1. **À propos d'un problème, d'une question :**
Vous avez compris ou vous… ? ____________________

2. **À propos d'une lettre, d'un fax :**
Il a répondu ou il… ? ____________________

3. **À propos d'un plat, d'une boisson :**
Tu as goûté ou tu… ? ____________________
Tu as aimé ou tu… ? ____________________

4. **À propos d'une réunion, d'une conférence :**
Ça a commencé ou ça… ? ____________________
Ça s'est bien passé ou ça… ? ____________________

5. **À propos d'une invitation, d'une proposition :**
Ils ont accepté ou ils… ? ____________________
Ils ont refusé ou… ? ____________________

6. **À propos d'un examen :**
Elle a réussi ou elle… ? ____________________
Elle a échoué ou elle… ? ____________________

7. **À propos d'une adresse, d'un numéro de téléphone :**
Vous avez noté ou vous… ? ____________________

8. **À propos d'un film, d'une pièce de théâtre :**
Tu as trouvé bien ou tu… ? ____________________

9. **À propos d'une question posée :**
Vous avez entendu ou vous… ? ____________________

ÉCRIT ET ORAL SOUTENU : ne… pas

« Tu n'as pas fini ? » ; « Je n'ai pas compris »

ORAL FAMILIER : ~~ne~~… pas

[tapafini] ; [jɛpakõpʀi]

☞ négation, 218

A. *Complétez.*

1. « Comme tu (*grandir*) ! Quel âge as-tu ? » *Tu as grandi*
2. « Vous (*ne pas changer*), vous (*ne pas vieillir*) du tout. » ______ ______
3. « Les vacances t'ont fait du bien. Tu (*rajeunir*) et tu (*embellir*). » ______ ______
4. « C'est tou ce qu'il (*grossir*) ! Il est énorme ! » ______
5. « Je (*ne pas maigrir*), maman, je (*mincir*). » ______
6. « Finies, les jupes longues ! La mode (*raccourcir*). » ______
7. « Zut ! mon pull (*rétrécir*) au lavage. » ______
8. « Nous (*agrandir*) votre bureau et nous (*élargir*) les fenêtres pour avoir plus de lumière. » ______ ______
9. « Vous (*rougir*) ? Vous (*pâlir*) pourquoi ? » ______
10. « Le temps (*se refroidir*) ?
   – Oui, il (*fraîchir*). » ______ ______
11. « Son caractère (*s'assouplir*).
   – Oui, il (*se radoucir*). » ______ ______
12. « Vous (*brunir*).
   – Oui, c'est l'air de la mer ! » ______

B. *Récapitulez.*

ADJECTIF	→ VERBE	ADJECTIF	→ VERBE
grande	*grandir*	belle	______
vieille	*vieillir*	laide	______
rouge	______	large	______
grosse	______	grande	______
maigre	______	froide	______
mince	______	courte	______
pâle	______	étroite	______

A. *Rétablissez l'ordre chronologique des récits.*

1.
elle est tombée
elle est repartie
elle s'est relevée

Elle est tombée, elle s'est relevée puis elle est repartie.

2.
nous avons mangé
nous avons choisi un restaurant
nous avons payé
nous sommes entré(e)s
nous sommes sorti(e)s
nous avons commandé

____
____
____
____
____
____

3.
je suis redescendu(e)
je suis passé(e) devant chez toi
personne n'a répondu
je suis revenu(e) une heure plus tard
je suis monté(e)
j'ai sonné

____
____
____
____
____
____

4.
elle est morte en 1962
elle est née en 1926
elle a vécu à Hollywood
elle est devenue actrice

____
____
____
____

5.
il est monté en voiture
il est descendu en ambulance
il a skié une heure
il s'est cassé la jambe

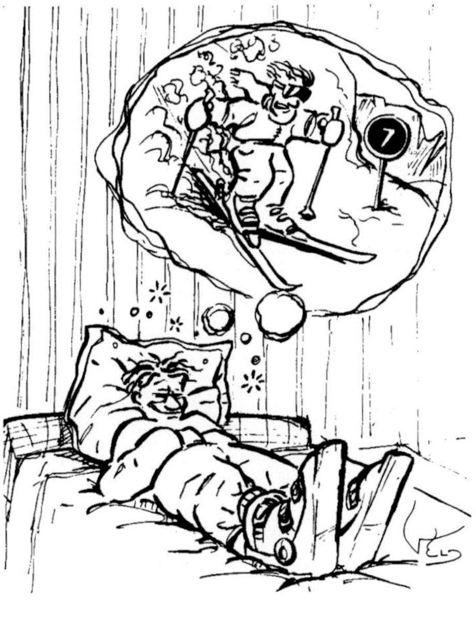

____
____
____
____

6.
la mère a réveillé le père ____________
les enfants ont réveillé l'immeuble ____________
le père a réveillé les enfants ____________
la mère s'est réveillée ____________

7.
je suis resté(e) à la séance suivante ____________
je suis entré(e) dans la salle de cinéma ____________
je me suis endormi(e) ____________
je me suis assis(e) ____________

8.
ils ne s'y sont pas plu ____________
ils ne sont jamais retournés sur la lune ____________
ils ont quitté la terre ____________
ils sont arrivés sur la lune ____________
ils sont revenus ____________

B. *Notez à l'infinitif dans le tableau les verbes qui se construisent avec l'auxiliaire « être ».*

VERBES PRONOMINAUX	VERBES NON PRONOMINAUX
se relever	*tomber*
____________	____________
____________	____________
____________	____________
____________	____________
____________	____________
____________	____________
____________	____________
____________	____________
____________	____________
____________	____________
____________	____________

Remarque : les séquences d'événements qui forment la trame chronologique du récit s'expriment toujours au passé composé.

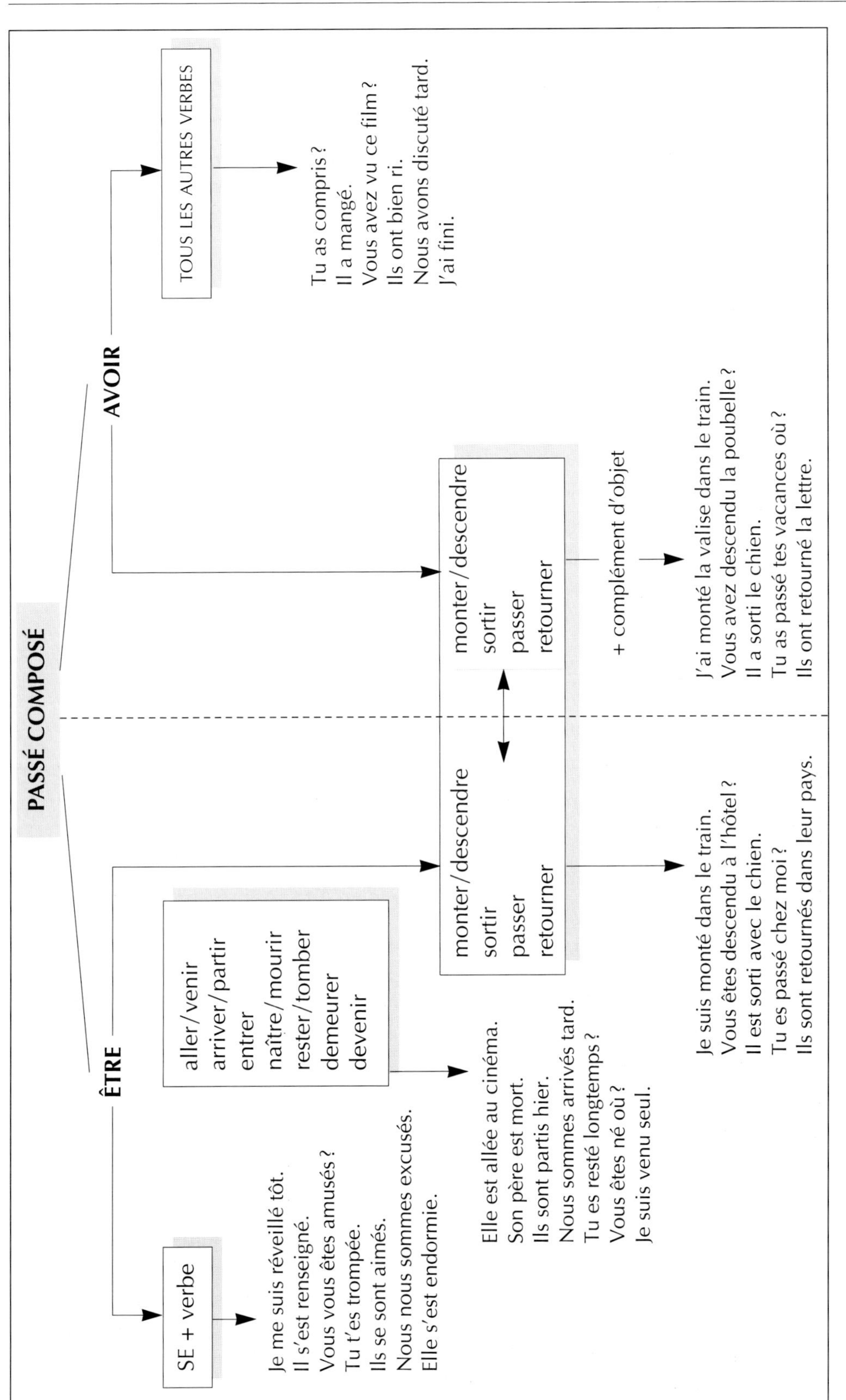
PASSÉ COMPOSÉ
ÊTRE
SE + verbe
Je me suis réveillé tôt.
Il s'est renseigné.
Vous vous êtes amusés ?
Tu t'es trompée.
Ils se sont aimés.
Nous nous sommes excusés.
Elle s'est endormie.
aller/venir
arriver/partir
entrer
naître/mourir
rester/tomber
demeurer
devenir
Elle est allée au cinéma.
Son père est mort.
Ils sont partis hier.
Nous sommes arrivés tard.
Tu es resté longtemps ?
Vous êtes né où ?
Je suis venu seul.
monter/descendre
sortir
passer
retourner
Je suis monté dans le train.
Vous êtes descendu à l'hôtel ?
Il est sorti avec le chien.
Tu es passé chez moi ?
Ils sont retournés dans leur pays.
AVOIR
monter/descendre
sortir
passer
retourner
+ complément d'objet
J'ai monté la valise dans le train.
Vous avez descendu la poubelle ?
Il a sorti le chien.
Tu as passé tes vacances où ?
Ils ont retourné la lettre.
TOUS LES AUTRES VERBES
Tu as compris ?
Il a mangé.
Vous avez vu ce film ?
Ils ont bien ri.
Nous avons discuté tard.
J'ai fini.

A. *Observez le choix de l'auxiliaire et l'accord du participe passé.*

Je suis monté(e) dans le train	J'ai monté mes valises dans le train
Ils sont descendus du camion	Ils ont descendu les meubles du camion
Elle est rentrée chez elle	Elle a rentré la voiture au garage
Je suis sorti(e)	J'ai sorti un paquet de cigarettes de ma veste
Elle est passée à Athènes	Elle a passé ses vacances à Athènes
Ils sont retournés voir le film	Ils ont retourné leurs chaises

ÊTRE ? AVOIR ? POURQUOI ?

B. *Transformez au passé composé les phrases suivantes.*

1. La femme de chambre monte le petit-déjeuner.
____
2. La femme de chambre monte par l'escalier de service.
____
3. Ils sortent d'une voiture grise.
____
4. Ils sortent une grosse valise du coffre.
____
5. L'espion passe la frontière sans problèmes.
____
6. L'espion passe devant le poste de douane sans contrôle.
____
7. Elle descend les pistes à toute allure.
____
8. Elle descend à skis.
____
9. Il rentre la tête dans les épaules à cause du froid.
____
10. Il rentre chez lui à pied.
____

C. *Racontez au passé.*

Il descend de sa moto. Il rentre précipitamment dans l'immeuble. Il passe devant les boîtes aux lettres. Il monte l'escalier quatre à quatre. Il s'arrête devant une porte. Il sort une clé de sa poche. Il rentre de force la clé dans la serrure. La clé rentre mais ne tourne pas. Il redescend quatre à quatre. Il repasse devant les boîtes aux lettres. Il sort de l'immeuble. Il passe sa main sur son front. Il remonte sur sa moto et repart en trombe.

Participes passés terminés par :		**Infinitifs** terminés par :						
sons	graphies	Tous les verbes en –ER	–IR	–IRE, –URE –AIRE, –ORE	–OIR –OIRE	–ENDRE –ONDRE	–DRE	–TRE, –CRE –URE, –PRE
[e]	é	aimer → aimé ; aller → allé appeler → appelé répéter → répété payer → payé envoyer → envoyé ennuyer → ennuyé						naître → né être → été
[i]	i		finir → fini partir → parti ; fuir → fui haïr → haï	rire → ri suffire → suffi nuire → nui				suivre → suivi
	is		acquérir → acquis conquérir → conquis		s'asseoir → assis	prendre → pris et composés		mettre → mis et composés
	it			dire → dit ; écrire → écrit prescrire → prescrit conduire → conduit traduire → traduit séduire → séduit				
[y]	u		tenir → tenu venir → venu et composés courir → couru vêtir → vêtu	lire → lu conclure → conclu plaire → plu se taire → tu	avoir → eu ; voir → vu recevoir → reçu apercevoir → aperçu savoir → su ; pleuvoir → plu pouvoir → pu vouloir → voulu valoir → valu ; falloir → fallu mouvoir → mû ; boire → bu croire → cru	vendre → vendu tendre → tendu et composés rendre → rendu défendre → défendu descendre → descendu tondre → tondu confondre → confondu	perdre → perdu mordre → mordu moudre → moulu coudre → cousu résoudre → résolu	vivre → vécu paraître → paru connaître → connu croître → crû battre → battu vaincre → vaincu
	us			inclure → inclus				
[ɛ]	ait			faire → fait distraire → distrait extraire → extrait				
[ɛ̃]	eint						peindre → peint éteindre → éteint atteindre → atteint feindre → feint	
	aint						craindre → craint contraindre → contraint	
[wɛ̃]	oint						joindre → joint	
[ɛʀ]	ert		couvrir → couvert offrir → offert ouvrir → ouvert					
[ɔʀ]	ort		mourir → mort					
[o]	os			clore → clos				
[u]	ous						dissoudre → dissous	

MAJORITÉ DES VERBES

Passé composé : participes passés ➤➤ *Évaluation*

Testez régulièrement vos connaissances des participes passés de ces verbes fréquents.

acquérir	______________	mourir	______________
apercevoir	______________	obtenir	______________
apparaître	______________	offrir	______________
apprendre	______________	ouvrir	______________
asseoir (s')	______________	partir	______________
atteindre	______________	peindre	______________
attendre	______________	perdre	______________
avoir	______________	permettre	______________
battre (se)	______________	plaindre (se)	______________
boire	______________	plaire	______________
comprendre	______________	pleuvoir	______________
conclure	______________	pouvoir	______________
conduire	______________	prendre	______________
connaître	______________	promettre	______________
construire	______________	recevoir	______________
courir	______________	reconnaître	______________
couvrir	______________	rejoindre	______________
craindre	______________	rendre	______________
croire	______________	répondre	______________
cuire	______________	réussir	______________
découvrir	______________	savoir	______________
devenir	______________	servir (se)	______________
devoir	______________	sortir	______________
dire (re)	______________	souffrir	______________
disparaître	______________	souvenir (se)	______________
dormir	______________	suivre	______________
écrire	______________	taire (se)	______________
émouvoir	______________	tenir	______________
enfuir (s')	______________	traduire	______________
éteindre	______________	vaincre	______________
falloir	______________	valoir	______________
finir	______________	vendre	______________
interrompre	______________	venir	______________
intervenir	______________	vivre	______________
mettre	______________	voir	______________
mordre	______________	vouloir	______________

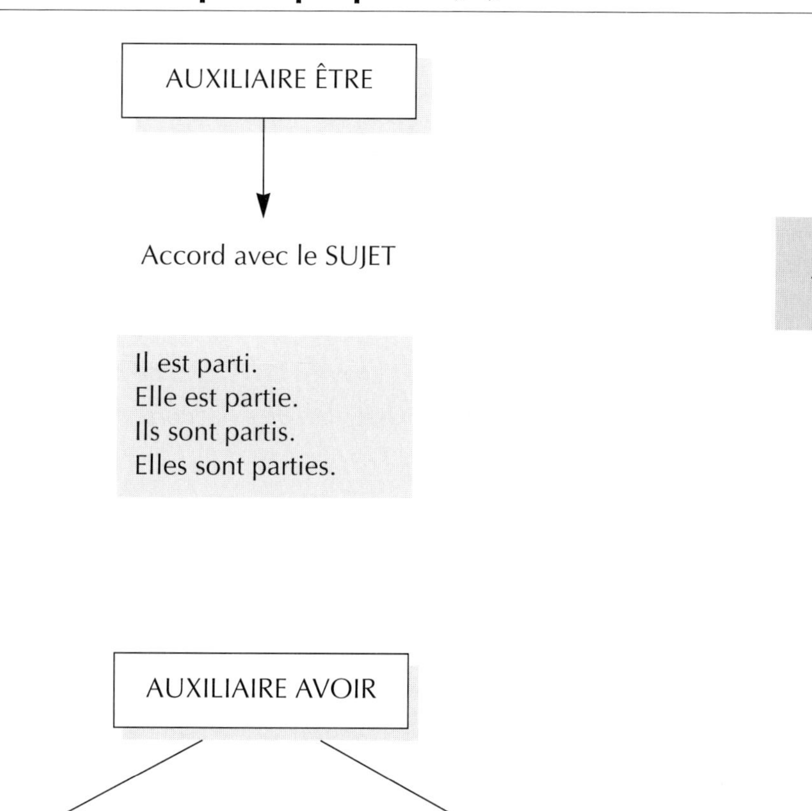

Il est parti.
Elle est partie.
Ils sont partis.
Elles sont parties.

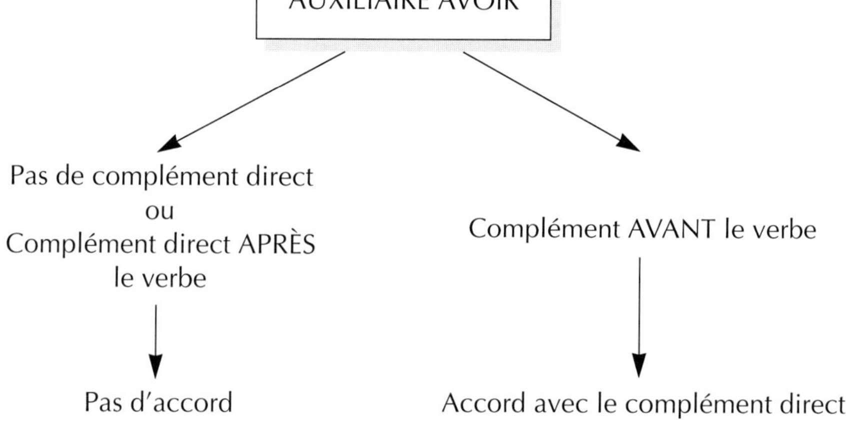

Il a travaillé.
Elle a travaillé.
Ils ont travaillé.
Elles ont travaillé.

Il a pris des photos.
Elle a choisi des photos.
J'ai aimé vos photos.
Ils ont perdu leurs photos.

Voilà les photos qu'il a prises.
Quelles photos a-t-elle choisies ?
Lesquelles avez-vous préférées ?
Leurs photos, ils les ont perdues.

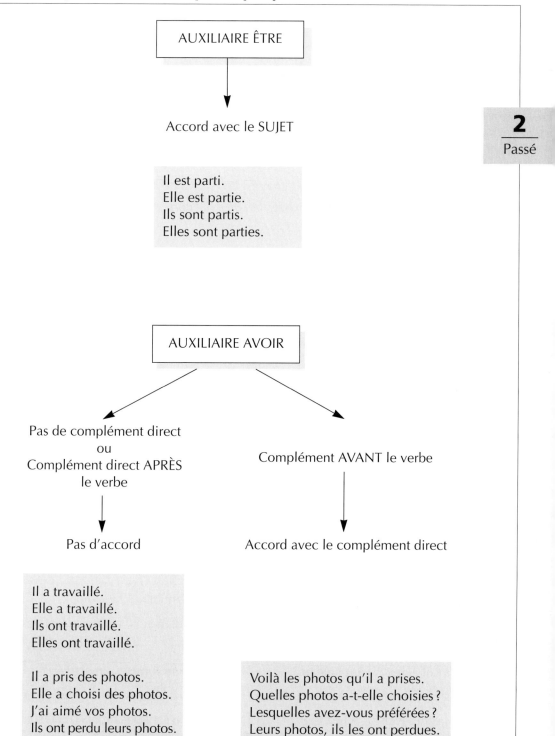

A. *Observez l'accord des participes passés.*

Il a mang**é** et il a b**u** puis il est all**é** se coucher et il s'est endorm**i**.
Elle a mang**é** et elle a b**u** puis elle est all**ée** se coucher et s'est endorm**ie**.
Ils ont mang**é** et ils ont b**u** puis ils sont all**és** se coucher et se sont endorm**is**.
Elles ont mang**é** et b**u** puis elles sont all**ées** se coucher et elles se sont endorm**ies**.

B. *Complétez les participes passés et faites l'accord si cela est nécessaire.*

1.

Elle a voyagé partout.
Elle a visité Paris.
Elle est allée à Moscou.
Elle est rest___ un mois à Venise.
Elle doit aller à Téhéran.
Elle a ador___ Berlin.
Elle a bien aim___ Lima.
Elle a parcour___ Rome.
Elle est pass___ au Caire.
Elle est retourn___ à Venise.
Et elle va continuer à voyager.

2.

Il est n___ au Canada.
Il a grand___ au Canada.
Il a rencontr___ une Espagnole.
Il a épous___ cette femme.
Ils sont part___ en Espagne.
Ils y sont rest___ dix ans.
Ils ont divorc___.
Sa femme est rest___ en Espagne.
Il est retourn___ au Canada.

3.

Ils ont gagn___ à la loterie.
Ils sont deven___ riches.
Ils ont quitt___ leur travail.
Ils ont achet___ un bateau.
Ils ont travers___ l'Atlantique.
Ils sont reven___ chez eux.
Ils sont repart___ .
Ils ne sont pas encore reven___ !

4.

Elles sont all___ au Népal.
Elles ont march___ des jours et des jours.
Elles ont ___ froid et faim (avoir).
Elles sont tomb___ malades.
Elles ont abandonn___ leur ascension.
Elles ne sont pas mont___ au sommet.
Elles sont redescend___ .

A. *Observez.*

Elle a ouvert le livre ?
Oui, elle l'a ouvert et elle l'a lu.

Elle a ouvert la lettre ?
Oui, elle l'a ouverte et elle l'a lue.

Elle a lu les livres ?
Oui, elle les a ouverts et elle les a lus.

Elle a lu les lettres ?
Oui, elle les a ouvertes et elle les a lues.

B. *Complétez.*

1. Il a rempli le verre et il l'a vid___ .
   Il a rempli la bouteille et il l'a vid___ .
2. J'ai cherché ton adresse mais je ne l'ai pas trouv___ .
   J'ai cherché le numéro de téléphone mais je ne l'ai pas trouv___ .
3. Elle a ouvert la fenêtre puis elle l'a referm___ .
   Elle a ouvert les yeux puis les a referm___ .
4. Il a écrit un poème puis il l'a déchir___ et réécr___ .
   Il a écrit une lettre puis il l'a déchir___ et réécr___ .
5. Nous avions perdu nos papiers mais nous les avons retrouv___ .
   Nous avions perdu nos clés mais on nous les a rapport___ .
6. Ils ont détruit l'immeuble mais ils ne l'ont pas reconstru___ .
   Le séisme a détruit la ville mais les habitants l'ont reconstru___ .

C. *Réécrivez les questions suivantes en évoquant non plus des pays mais des villes.*

Avez-vous visité beaucoup de pays ? Quels pays avez-vous visités ? Lesquels avez-vous préférés ? Vous les avez visités seul(e) ou avec un guide ? Les pays que vous avez parcourus sont-ils très différents du vôtre ?

Avez-vous visité beaucoup de villes étrangères ? Quelles villes ?

___

___

___

___

___

___

A. *Observez.*

SE + VERBE (PRONOMINAUX RÉFLÉCHIS)		
Accord sujet	**Pas d'accord**	**Accord complément d'objet**
Il s'est lavé. Elle s'est lavée. Ils se sont lavés. Elles se sont lavées.	Il s'est lavé le visage ? Elle s'est lavé les cheveux ? Ils se sont lavé les mains ? Elles se sont lavé les dents ?	Oui, il se l'est lavé. Oui, elle se les est lavés. Oui, ils se les sont lavées. Oui, elles se les sont lavées.

B. *Complétez.*

DIMANCHE MATIN D'HIVER

Il s'est réveill—— .
Il a réveill—— sa femme.
Elle s'est réveill—— .
Il s'est lev—— .
Elle s'est lev—— .
Ils ont regard—— le temps.
Elle s'est recouch—— .
Il s'est recouch—— .
Ils se sont rendorm—— .

SÉRIE NOIRE FAMILIALE

Il est tomb—— et s'est cass—— la jambe.
Son fils s'est tord—— le genou.
Sa fille s'est cogn—— la tête.
Sa femme s'est mord—— la langue.
Son frère s'est coup—— un doigt.
Son père s'est écras—— le pied.
Ses neveux se sont ouvert—— la joue.

C. *De quels objets peut-il être question ? Choisissez en fonction du genre et de l'accord.*

SOUVENIRS DE VOYAGE

Je me **le** suis achet**é** en Iran — exemple : ***un*** *tapis*
Je me le suis acheté au Japon ____________________
Je me la suis achetée en Suisse ____________________
Je me les suis achetées en Italie ____________________
Je me la suis achetée en Espagne ____________________
Je me les suis achetées au Canada ____________________

A. *Observez.*

Construction sans « à »	Construction avec « à »
ACCORD AVEC LE SUJET	PAS D'ACCORD
Ils se sont battus (battre quelqu'un). Ils ne se sont pas vus (voir quelqu'un). Elles se sont rencontrées. Elles ne se sont pas comprises.	Ils se sont téléphoné (téléphoner à quelqu'un). Ils se sont écrit (écrire à quelqu'un). Elles ne se sont pas dit bonjour.

B. *Complétez le tableau avec les verbes suivants au passé composé (ils ou elles).*

s'inviter • s'embrasser • se sourire • se connaître • se découvrir • s'apercevoir • se quitter • se recevoir • se séparer • se saluer • se remarquer • s'épouser • s'écrire • se plaire • se succéder

C. *Écoutez et écrivez le poème.*

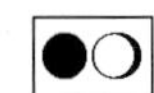

A. *Complétez les enquêtes et échangez.*

ENQUÊTE : LES OCCUPATIONS DU DIMANCHE

QUE FAITES-VOUS D'HABITUDE LE DIMANCHE ?	QU'AVEZ-VOUS FAIT DIMANCHE DERNIER ?
❒ Vous restez chez vous ?	❒ *Vous êtes resté chez vous ?*
❒ Vous travaillez ?	❒ ______________________
❒ Vous dormez beaucoup ?	❒ ______________________
❒ Vous regardez la télé ?	❒ ______________________
❒ Vous allez au cinéma ?	❒ ______________________
❒ Vous faites du sport ?	❒ ______________________
❒ Vous lisez beaucoup ?	❒ ______________________
❒ Vous sortez le soir ?	❒ ______________________
❒ Vous vous promenez ?	❒ ______________________
❒ Vous recevez des amis ?	❒ ______________________

ENQUÊTE : LES VACANCES D'ÉTÉ

QUE FAITES-VOUS D'HABITUDE PENDANT VOS VACANCES ?	QU'AVEZ-VOUS FAIT PENDANT VOS DERNIÈRES VACANCES ?
❒ Vous allez à l'étranger ?	❒ *Vous êtes allé à l'étranger ?*
❒ Vous partez seul ?	❒ ______________________
❒ Vous vous reposez ?	❒ ______________________
❒ Vous visitez des lieux touristiques ?	❒ ______________________
❒ Vous restez au même endroit ?	❒ ______________________
❒ Vous voyagez beaucoup ?	❒ ______________________
❒ Vous campez ?	❒ ______________________
❒ Vous descendez à l'hôtel ?	❒ ______________________
❒ Vous allez chez des amis ?	❒ ______________________
❒ Vous passez vos vacances en famille ?	❒ ______________________
❒ Vous êtes actif ?	❒ ______________________
❒ Vous faites des stages ?	❒ ______________________

B. *Entraînez-vous aussi à poser ces questions à la forme négative.*

☞ oui, si, non, 206

Complétez les phrases suivantes.

1. D'habitude je dors bien toute la nuit mais cette nuit...
   j'ai mal dormi , j'ai fait des cauchemars
   ou *je n'ai pas bien dormi, j'ai eu une insomnie*

2. D'habitude nous marchons chaque jour, mais hier à cause de la neige ______

3. Elle ne boit pas d'habitude à midi, mais aujourd'hui, exceptionnellement ______

4. Je le vois d'habitude tous les jours mais hier je ______

5. Elle a l'habitude de se lever tard le dimanche, mais dimanche dernier ______

6. Habituellement nous ne regardons pas beaucoup la télévision, mais la semaine dernière ______

7. Ils se réunissent une fois par mois d'habitude mais le mois dernier ______

8. Il rentre chez lui tous les soirs d'habitude de bonne heure mais hier soir ______

9. D'habitude le facteur passe le matin entre 9 et 10 heures, mais aujourd'hui ______

10. Tous les matins il prend le métro pour aller travailler mais ce matin exceptionnellement ______

11. D'habitude, elle ne s'énerve pas et ne se met pas en colère mais ce matin ______

12. D'habitude elles se téléphonent une fois par semaine, mais cette semaine, ______

Complétez les phrases au passé composé oralement puis par écrit.

A.

Je (*s'endormir*) au cinéma hier soir. *Je me suis endormi(e)*

1. Excusez-moi, je (*s'énerver*). ____________________
2. Excusez-nous, nous (*se tromper*). ____________________
3. Vous (*s'amuser*) à cette soirée ? ____________________
4. Tu (*s'inquiéter*) ? Pourquoi ? ____________________
5. Il (*se décider*) rapidement ? ____________________
6. Elle (*s'enfermer*) dans sa chambre. ____________________
7. À quelle heure ils (*se coucher*) ? ____________________
8. Ce matin, je (*se réveiller*) très tôt. ____________________
9. Je (*se dépêcher*) de venir. ____________________

B.

Je (*ne pas s'ennuyer*) du tout. *Je* ***ne*** *me suis* ***pas*** *ennuyé(e) du tout.*

1. Pourquoi tu ne (*ne pas se raser*) ? ____________________
2. Pourquoi est-ce qu'elle (*ne pas s'excuser*) ? ____________________
3. Tu (*ne pas s'inquiéter*) de ne pas la voir ? ____________________
4. Elle (*ne pas s'étonner*) de te voir ? ____________________
5. Je (*ne pas se coucher*) cette nuit. ____________________
6. Ils (*ne pas s'arrêter*) chez vous ? ____________________
7. Vous (*ne pas se tromper*) dans l'addition ? ____________________
8. On (*ne pas s'inquiéter*) du tout. ____________________

A. *Observez.*

ADVERBES GÉNÉRALEMENT INTERPOSÉS	ADVERBES GÉNÉRALEMENT POSTPOSÉS
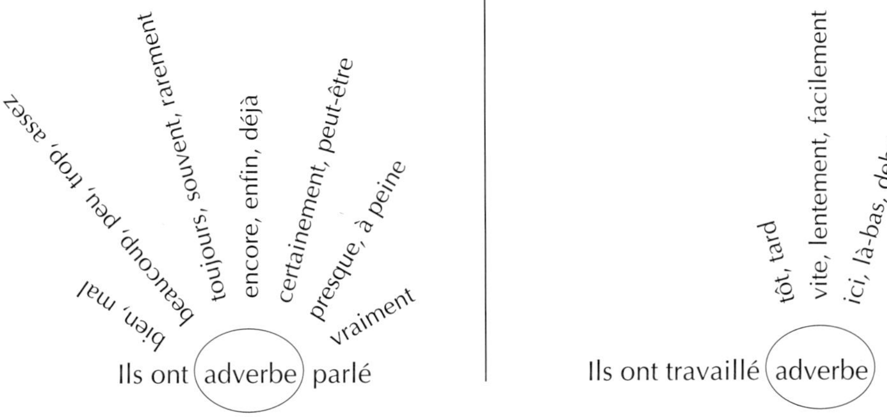 bien, mal beaucoup, peu, trop, assez toujours, souvent, rarement encore, enfin, déjà certainement, peut-être presque, à peine vraiment	tôt, tard vite, lentement, facilement ici, là-bas, dehors
Ils ont (adverbe) parlé	Ils ont travaillé (adverbe)

☞ adverbes, 186...

B. *Complétez.*

VERBE	ADVERBE	
1. partir	déjà	*Il est **déjà** parti.*
2. se lever	tard	*Ils se sont levés **tard.***
3. boire	trop	J' ______________________
4. finir	presque	On ______________________
5. rire	beaucoup	Nous ______________________
6. téléphoner	peut-être	Elle ______________________
7. penser à vous	souvent	J' ______________________
8. se perdre	certainement	Ils ______________________
9. se terminer	très tard	Le film ______________________
10. déjeuner	dehors	Nous ______________________
11. se maquiller	beaucoup trop	Elle ______________________
12. vivre en France	toujours	Nous ______________________
13. arriver	rapidement	Les secours ______________________
14. s'adapter	facilement	Je ______________________
15. s'intégrer	bien	Je ______________________
16. se perdre	certainement	Ils ______________________
17. se terminer	vite	La discussion ______________________
18. avoir de la chance	vraiment	Tu ______________________
19. applaudir	à peine	Le public ______________________

Depuis un siècle

Le monde s'est-il transformé ?
La nature humaine s'est-elle transformée ?
Les mentalités se sont-elles transformées ?
Les échanges économiques se sont-ils transformés ?

☞ accord, 68

A. *Formulez les questions comme dans l'exemple.*

Les conditions de vie (*s'améliorer*). *Les conditions de vie se sont-elles améliorées ?*

1. L'éducation (*se démocratiser*). ______
2. Les relations humaines (*s'enrichir*). ______
3. Les idées démocratiques (*se répandre*). ______
4. Le pouvoir d'achat (*augmenter*). ______
5. Les moyens de communication (*se développer*). ______
6. La communication entre les hommes (*s'améliorer*). ______
7. La nature (*se dégrader*). ______
8. La vie politique (*se moraliser*). ______
9. La musique (*se renouveler*). ______
10. Les mentalités (*se transformer*). ______
11. La façon de se nourrir (*évoluer*). ______
12. Les performances sportives (*progresser*). ______
13. Les échanges internationaux (*se multiplier*). ______
14. Les relations entre les peuples (*se détendre*). ______
15. Les hommes et les femmes (*changer*). ______

B. *Échangez. Notez vos réponses à quelques questions.*

______
______
______
______
______
______

A. *Complétez.*

La journée de Monsieur Lesage

D'habitude	Hier comme d'habitude
Il se lève à 6 h 30.	*Il s'est levé à 6 h 30.*
Il allume sa radio.	______________
Il prépare son petit-déjeuner.	______________
Il donne à manger à ses chats.	______________
Il prend son petit-déjeuner.	______________
Il fait un peu de ménage.	______________
Il s'habille pour sortir.	______________
Il descend faire ses courses.	______________
Il ouvre sa boîte aux lettres.	______________
Il remonte chez lui.	______________
Il lit son journal.	______________
Il prépare son déjeuner.	______________
Il déjeune en écoutant les nouvelles.	______________
Il se repose un peu dans son fauteuil.	______________
Il sort se promener.	______________
Il revient chez lui vers 5 heures.	______________
Il met ses pantoufles.	______________
Il répond à son courrier.	______________
Il téléphone à la météo.	______________
Il dîne vers 7 h 30.	______________
Il regarde les informations.	______________
Il joue aux échecs avec son ordinateur.	______________
Il se couche.	______________
Il s'endort vers 8 heures.	______________
Son réveil sonne à 6 h 25.	______________
Il se lève à 6 h 30.	______________

B. *Imaginez l'emploi du temps d'une personne ou d'un personnage de votre choix (chef d'État, sportif, acteur, facteur, médecin, chef d'entreprise, cosmonaute...) ou bien un emploi du temps idéal ou détestable.*

A. *Lisez.*

Au lieu de compter les moutons, quand je suis éveillé, tôt le matin, je dresse parfois l'inventaire des choses que je n'ai pas faites.
– Quoi par exemple ?
– Je n'ai jamais fait de ski, ni de surf, je n'ai jamais appris à jouer d'un instrument de musique ou à parler une langue étrangère ou à faire de la voile ou de l'équitation. Je n'ai jamais escaladé de montagne ni planté de tente ou pêché un poisson. Je n'ai jamais vu les chutes du Niagara, je ne suis jamais monté au sommet de la Tour Eiffel et je n'ai jamais visité les pyramides.

David Lodge, *Le British Museum*

☞ négation, 219

B. *Formulez des questions comme dans les exemples.*

1. jouer dans un film — *(Est-ce que) vous avez déjà joué dans un film ?*
2. entrer dans des lieux interdits — *(Est-ce que) vous êtes déjà entré dans des lieux interdits ?*
3. rater un train ______
4. pleurer au cinéma ______
5. sortir sans payer (d'un café, d'un magasin...) ______
6. vivre seul(e) ______
7. mordre quelqu'un ______
8. passer à la télévision ______
9. dormir à la belle étoile ______
10. passer une nuit blanche ______
11. chanter en public ______
12. consulter une voyante ______
13. rester plusieurs jours sans manger ______
14. sauter en parachute ______

15. avoir très peur ______________________
16. avoir un coup de foudre ______________________
17. sauver la vie de quelqu'un ______________________
18. monter à plus de 3000 mètres ______________________
19. marcher sur les mains ______________________
20. faire un régime pour maigrir ______________________
21. écrire des poèmes ______________________
22. manger du caviar ______________________
23. se faire agresser ______________________
24. se déguiser ______________________
25. s'endormir au cinéma ______________________
26. se fâcher avec un(e) ami(e) ______________________
27. s'enfuir de chez soi ______________________
28. se couper les cheveux soi-même ______________________
29. gagner à la loterie ______________________
30. conduire un camion ______________________

C. *Échangez, demandez et donnez des précisions (où ? quand ? combien de fois ? pourquoi ? comment ? à quelle occasion ? dans quelles circonstances ? etc.).*

D. *Écrivez un texte à la manière du texte de David Lodge.*

A. *Voici quelques débuts de récits. Terminez-les à votre manière.*

1. Il a pris un couteau dans un tiroir, il s'est assis ______________________________

____

____

2. Elle est montée dans le train. Elle a cherché un compartiment vide. Elle s'est installée. Elle a ouvert sa serviette ______________________________

____

____

3. Il a descendu les escaliers quatre à quatre. Il est sorti de l'immeuble en courant. Il a traversé la place ______________________________

____

____

4. Il a entendu sonner. Il a regardé par le judas. Il est resté sans bouger derrière la porte. On a sonné une deuxième fois ______________________________

____

____

5. Elle est entrée chez elle. Elle a enlevé son manteau. Elle a posé son sac sur un meuble. Elle a entendu un bruit. Elle s'est retournée ______________________________

____

____

6. Ils sont arrivés en voiture. Ils se sont arrêtés devant la banque. Ils sont descendus de voiture ______________________________

____

____

B. *Par groupes faites une lecture ou une dictée mimée des récits imaginés.*

A. *À partir de ces photos et en vous aidant des questions, imaginez la vie de ces deux hommes.*

☞ interrogation, 203...

© *Izis/Éd. du Désastre.*

- Quand sont-ils nés et où ?
- Ont-ils eu une enfance malheureuse ?
- Sont-ils restés dans leur pays ? L'ont-ils quitté ? Y sont-ils retournés ?
- Ont-ils vécu seuls ? Se sont-ils mariés ? Ont-ils divorcés ? Ont-ils eu des enfants ?
- Ont-ils connu des bonheurs, des malheurs, des guerres ?
- Quel genre de vie ont-ils mené ? Ont-ils eu une vie simple, compliquée, solitaire, mondaine, calme, agitée, ordinaire, extraordinaire... ?
- Ont-il eu de l'influence sur leur entourage ? Ont-ils été influencés par d'autres ?
- Ont-ils participé à la vie publique ? Ont-ils joué un rôle dans la vie politique, littéraire, scientifique, sportive... ? Sont-ils devenus célèbres ?
- Se sont-ils rencontrés ?
- Vivent-ils encore ou bien sont-ils morts ?

© *Jerry Bauer*

B. *Dictée.*

TEST ORAL		TEST ÉCRIT
1.	Tu (*prendre*) quel bus ce matin ?	*Tu as pris*
2.	À quelle heure la bibliothèque (*ouvrir*) ses portes ce matin ?	*La bibliothèque a ouvert*
3.	Cette émission nous (*plaire*).	________
4.	Je vous (*attendre*) deux heures !	________
5.	Tu (*ne pas savoir*) répondre à cette question ?	________
6.	Il (*pleuvoir*) hier toute la journée.	________
7.	On (*ne pas frapper*) ? Il me semble que j'(*entendre*) frapper.	________ ________
8.	Elle (*avoir*) vingt ans la semaine dernière.	________
9.	Qui vous (*conduire*) ici ? Je (*ne voir*) aucune voiture arriver.	________ ________
10.	Qu'est-ce que tu (*faire*) ce week-end ? Tu (*se reposer*) ?	________ ________
11.	Je (*ne pas lire*) ce rapport, je (*ne pas avoir le temps*).	________ ________
12.	Elles (*ne pas pouvoir*) venir mais elle (*se faire excuser*).	________ ________
13.	Où est-ce que vous (*se connaître*) ?	________
14.	Qu'est-ce que tu (*dire*) ? Je (*ne pas entendre*).	________
15.	Elles (*devoir*) partir, elles (*sortir*) précipitamment.	________ ________
16.	Nous (*obtenir*) satisfaction.	________
17.	Vous (*naître*) où ? Vous (*vivre*) où ?	________
18.	Il (*boire*) beaucoup hier soir ? Il (*ne pas se retenir*).	________ ________
19.	Je (*passer*) dix ans à Bruxelles. Je (*se plaire*) dans cette ville.	________ ________
20.	Il (*être*) très malade, mais il (*guérir*).	________
21.	Qu'est-ce qu'ils vous (*offrir*) pour votre anniversaire ?	________
22.	Nous (*ne pas mettre*) une heure en voiture pour venir.	________
23.	Tu (*suivre*) un cours de dessin l'année dernière ?	________
24.	Il (*commencer*) à écrire ses mémoires.	________
25.	Elle (*ne pas croire*) ce que je lui (*raconter*).	________
26.	On (*voir*) un film formidable hier soir, on t'(*regretter*).	________ ________
27.	Vous m'(*manquer*) beaucoup pendant votre absence.	________
28.	Vous (*ne pas s'ennuyer*) ?	________

A. *Lisez ce texte.*

Décor :

Une plage. Une table, deux chaises. Sur la table deux grands verres remplis et des pailles.
Deux cabines de plage : cabine A et cabine B.

Personnages

Un homme d'un certain âge.
Une femme d'un certain âge.

Situation

Couchés sur le sable en maillot de bain, l'homme et la femme prennent un bain de soleil. Imperturbables, ils se dorent au soleil.

Scénario

La femme d'un certain âge se lève et entre dans la cabine A. L'homme d'un certain âge se lève l'air pincé, et s'approche de la cabine A. A travers une fente, il regarde à l'intérieur. Pour mieux voir, il sort un monocle d'un étui. Après quelques instants, il cesse de regarder et, l'air d'un gentleman, il revient s'étendre sur le sable Peu après la femme sort de la cabine, élégamment vêtue, avec un grand chapeau sur la tête. Elle va s'asseoir sur une chaise près de la table. Elle boit, à une vitesse record, à l'aide d'une paille, le contenu de l'un des deux verres.

L'homme se lève et se dirige vers la cabine B où il entre. La femme se lève, l'air distingué, même pincé, et elle s'approche de la cabine B. Elle regarde à travers une fente. Pour mieux voir, elle retire son chapeau. Peu après elle retourne s'asseoir avec le même air distingué.

Puis l'homme sort de la cabine B, très bien habillé. Il se dirige vers la table. Il s'incline légèrement, avec grâce mais assez froidement devant la femme. La femme esquisse un sourire de pure politesse. L'homme s'assied et boit à une vitesse record le contenu de l'autre verre.

L'air froid, sans s'adresser un regard, l'homme d'un certain âge et la femme d'un certain âge restent assis, chacun à sa place

d'après Arrabal, *Concert pour un œuf*

B. *Reprenez oralement cette scène au passé :*

La femme d'un certain âge s'est levée…

☞ imparfait, 88…

Remarque : si vous voulez évoquer aussi la situation au passé, vous devez utiliser l'imparfait.

ACTIF	PASSIF
Les étudiants ont choisi un porte-parole	Qui a été choisi comme porte-parole par les étudiants ?
CONJUGAISON PASSÉ COMPOSÉ PASSIF	
J'ai été choisi(e) Tu as été choisi(e) Il a été choisi Elle a été choisie	Nous avons été choisi(e)s Vous avez été choisi(e)(s) Ils ont été choisis Elles ont été choisies

A. *Formulez au passif comme dans les exemples.*

L'Académie française (*créer*) par Richelieu en 1635. *a été créée*

La Louisiane française (*vendre*) aux États-Unis par Napoléon en 1803. *a été vendue*

Les hiéroglyphes (*déchiffrer*) par Champollion en 1822. ________________

La Savoie et le Comté de Nice (*rattacher*) à la France en 1860. ________________

Le téléphone (*inventer*) par le savant Graham Bell en 1876. ________________

L'usage de la poubelle (*imposer*) par le préfet de Paris Eugène Poubelle en 1884. ________________

Le français et l'anglais (*choisir*) comme langues de travail par l'ONU en 1945. ________________

La scolarité obligatoire (*prolonger*) jusqu'à 16 ans en 1959. ________________

Le pont de Normandie, le plus long pont du monde, (*inaugurer*) en janvier 1995. ________________

B. *Transformez les phrases comme dans les exemples.*

XVIe siècle/Introduction du tabac en France par Nicot : *Le tabac a été introduit par Nicot au XVIe siècle.*

1945/Fondation des Nations unies : *Les Nations unies ont été fondées en 1945*

1792/Exécution du roi Louis XVI : ________________________________

____

1967/Création de l'État d'Israël : ________________________________

____

1967/Réalisation de la première greffe du cœur : ________________________________

____

1981/Abolition de la peine de mort en France : ________________________________

____

1900/Ouverture de la première ligne du métro, à Paris : ________________________________

____

21 décembre 1903/Attribution du premier prix Goncourt : ________________________________

____

1889/Construction de la Tour Eiffel, pour la Foire universelle : ________________________________

____

Imparfait

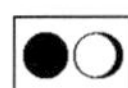

Le lundi on travaillait
Le mardi on jouait
Le mercredi on s'aimait
Le jeudi on parlait
Le vendredi on chantait
Le samedi on dormait
Et le dimanche
On se réveillait

C'était le bon temps
C'était il y a très longtemps

Soulignez la phrase que vous avez entendue.

A. *Présent ou imparfait ?*

Exemple :

Je pense à toi.	*Je pensais à toi.*
1. Tu joues avec elle.	Tu jouais avec elle.
2. Il habite seul.	Il habitait seul.
3. Ils finissent de manger.	Ils finissaient de manger.
4. Vous passez me voir ?	Vous passiez me voir ?
5. Nous pouvons partir.	Nous pouvions partir.
6. Elle adore le ski.	Elle adorait le ski.
7. Je déjeune sur place.	Je déjeunais sur place.
8. On danse à cette fête ?	On dansait à cette fête ?

B. *Passé composé ou imparfait ?*

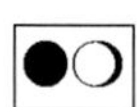

Exemple :

Je suis passé te voir.	*Je passais te voir.*
1. Il a travaillé tard.	Il travaillait tard.
2. J'ai été malade.	J'étais malade.
3. Tu t'es levé tôt ?	Tu te levais tôt ?
4. Je l'ai aimé vraiment.	Je l'aimais vraiment.
5. Elle est monté te voir.	Elle montait te voir.
6. Tu es resté longtemps ?	Tu restais longtemps ?
7. J'ai mangé vite.	Je mangeais vite.
8. J'ai été étonnée de te voir.	J'étais étonnée de te voir.

Terminaisons de l'imparfait

FAIRE

Je	fais ais	même prononciation [ɛ]
Tu	fais ais	
Il/elle/on	fais ait	
Ils/elles	fais aient	
Nous	fais ions	
Vous	fais iez	

Bases de l'imparfait :

Une seule base : la base du « nous » du présent de l'indicatif

ÉCOUTER	nous écoutons	→ j'écoutais
OFFRIR	nous offrons	→ j'offrais
APPELER	nous appelons	→ j'appelais
ESPÉRER	nous espérons	→ j'espérais
FINIR	nous finissons	→ je finissais
ENTENDRE	nous entendons	→ j'entendais
CRAINDRE	nous craignons	→ je craignais
CROIRE	nous croyons	→ je croyais
DISTRAIRE (SE)	nous nous distrayons	→ je me distrayais
VENIR	nous venons	→ je venais
RECEVOIR	nous recevons	→ je recevais
PRENDRE	nous prenons	→ je prenais
ALLER	nous allons	→ j'allais
AVOIR	nous avons	→ j'avais
FAIRE	nous faisons	→ je faisais
POUVOIR	nous pouvons	→ je pouvais
BOIRE	nous buvons	→ je buvais
FALLOIR		→ il fallait
PLEUVOIR		→ il pleuvait

Une exception !

ÊTRE	vous êtes	→ j'étais

Lisez les questions puis répondez.

Quand vous étiez enfant

Vous aimiez lire ou non ?
Vous étiez sensible ou non ?
Vous étiez calme ou nerveux ?
Vous étiez affectueux ou non ?
Vous aviez bon appétit ou non ?
Vous aviez peur du noir ou non ?
Vous suciez votre pouce ou non ?
Vous faisiez des caprices ou non ?
Vous pleuriez facilement ou non ?
Vous buviez du lait tous les jours ?
Vous aimiez les animaux ou non ?
Vous grimpiez aux arbres ou non ?
Vous faisiez des cauchemars ou non ?
Vous aviez beaucoup d'amis ou non ?
Vous travailliez bien ou mal à l'école ?
Vous aviez un caractère facile ou difficile ?
Vous alliez à pied à l'école ou vous preniez un autobus scolaire ?

Quand j'étais enfant

Remarque : l'imparfait permet d'exprimer un état habituel ou une habitude dans le passé.

Avant la terre était grise
Complètement grise
Elle n'était pas très belle
On n'aimait pas y vivre
Les gens n'y restaient pas

Mais un jour un poète
Y a lancé du bleu
Un soldat
Y a versé du rouge
Un noctambule
Y a jeté du noir
Un enfant
Y a versé du jaune
Un jardinier
A rajouté du vert

C'est alors que la terre
S'est mise à tourner.

A. *Commentez les dessins comme dans l'exemple.*

AVANT	Événement(s) survenus entre-temps	MAINTENANT
Situation passée		Situation actuelle
Imparfait	**Passé composé**	**Présent**
Il était plutôt rond. Il pesait 85 kilos. Il avait des moustaches.	Il a été malade. Il a maigri. Il s'est coupé les moustaches.	Il est plutôt maigre. Il pèse 65 kilos. Il n'a plus de moustaches.

B. *Dictée.*

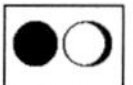

A. *Distinguez d'abord les situations (S) des événements (E) puis racontez au passé.*

Il est minuit. Pierre travaille. Le téléphone sonne.
Il va répondre. C'est une erreur.

SITUATIONS	ÉVÉNEMENTS
Il est minuit. Pierre travaille. C'est une erreur.	Le téléphone sonne. Il va répondre.

Il était minuit. Pierre travaillait. Le téléphone a sonné. Il est allé répondre. C'était une erreur.

A

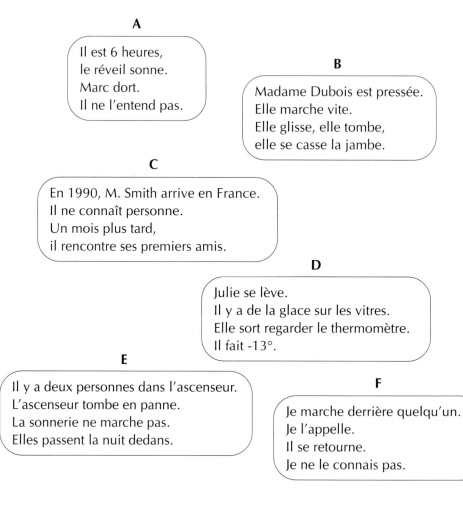

Il est 6 heures,
le réveil sonne.
Marc dort.
Il ne l'entend pas.

B

Madame Dubois est pressée.
Elle marche vite.
Elle glisse, elle tombe,
elle se casse la jambe.

C

En 1990, M. Smith arrive en France.
Il ne connaît personne.
Un mois plus tard,
il rencontre ses premiers amis.

D

Julie se lève.
Il y a de la glace sur les vitres.
Elle sort regarder le thermomètre.
Il fait -13°.

E

Il y a deux personnes dans l'ascenseur.
L'ascenseur tombe en panne.
La sonnerie ne marche pas.
Elles passent la nuit dedans.

F

Je marche derrière quelqu'un.
Je l'appelle.
Il se retourne.
Je ne le connais pas.

B. *Écoutez et écrivez le poème.* 

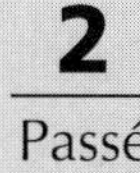

A. *Racontez ces rêves au passé.*

RÉCITS DE RÊVE

1. Je marche sur une route poussiéreuse. J'avance en sautant. J'avance, j'avance... Puis je vois arriver en face de moi une grosse boule qui roule. Je saute un peu plus haut pour l'éviter, puis de plus en plus haut et je m'envole.

2. Je suis au sommet d'un haut plateau rocheux et je marche. J'arrive au bord d'une grande falaise. Je m'allonge au bord de la falaise et je découvre en bas dans une lumière éclatante une ville inconnue et magique comme dans les livres d'enfant.

3. Ça se passe dans une grande salle grise et froide. Il pleut et je suis assise dans un coin. Des gens vont et viennent, entrent et sortent sans cesse. Un homme qui tient un lion en laisse s'approche de moi, m'offre un grand parapluie rouge et repart.

4. Je suis dans la cuisine de mes grands-parents. On est en train de manger. Progressivement on devient de plus en plus petits et on part. On arrive sur une autre planète qui est comme une maison ronde et on recommence à manger.

5. C'est dans un temple. Une femme porte des voiles. Elle me fait entrer, s'allonge sur une table de marbre, ferme les yeux comme morte, je l'embrasse, elle se réveille tout doucement. Derrière il y a une source noire et une porte. Je cherche à l'ouvrir. Une voix dit « Attention ! ». Je trouve la clé et la voix disparaît. Alors je vois une sirène.

B. *Faites à votre tour le récit d'un rêve ou continuez un de ces rêves.*

A. *Écoutez et classez les explications selon qu'elles comportent l'imparfait ou le passé composé.* 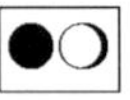

Pourquoi as-tu quitté ton appartement ?

IMPARFAIT	PASSÉ COMPOSÉ
• ______	• ______
• ______	• ______
• ______	• ______
• ______	• ______

B. *Proposez des explications aux question suivantes.*

1. Pourquoi tu n'es pas venu à ma fête ?

• ______	• ______
• ______	• ______
• ______	• ______

2. Pourquoi se sont-ils séparés ?

• ______	• ______
• ______	• ______
• ______	• ______

3. Pourquoi n'avez-vous pas fait votre devoir ?

• ______	• ______
• ______	• ______
• ______	• ______

4. Pourquoi le ministre a-t-il démissionné ?

• ______	• ______
• ______	• ______
• ______	• ______

5. Pourquoi êtes-vous en retard ?

• ______	• ______
• ______	• ______
• ______	• ______

A. *Composez des phrases à partir des éléments proposés.*

☞ expression du temps, 239

	LE MOMENT	LA SITUATION	L'ÉVÉNEMENT
1.	L'année dernière	être au chômage avoir le temps	écrire un livre
2.	Hier soir	être fatigué(e)	se coucher tôt
3.	Dimanche	avoir du travail	ne pas sortir
4.	Samedi	faire un temps magnifique	faire une longue promenade
5.	Avant-hier	rien d'intéressant à la télé	lire
6.	Hier	rien à lire	regarder la télé
7.	Ce matin	dormir profondément	ne pas entendre le réveil
8.	Hier soir	voiture en panne	rentrer à pied à la maison
9.	Il y a dix ans	s'aimer	se marier
10.	Il y a cinq ans	ne plus s'aimer	se séparer

1. *L'année dernière, comme elle **était** au chômage et qu'elle **avait** le temps, elle **a écrit** un livre*
2. Hier soir, comme ______________________________
____
3. Dimanche, comme ______________________________
____
4. Samedi, il ______________________________
____
5. Comme avant-hier ______________________________
____
6. Hier, comme je ______________________________
____
7. Ce matin, ______________________________
____
8. Hier soir, comme leur voiture ______________________________
____
9. Il y a dix ans, comme ______________________________
____
10. Il y a cinq ans, comme ______________________________
____

Soulignez la phrase qui vous semble logique, vraisemblable.
Barrez la phrase impossible.

Exemples :

Quand ma mère a retiré le gâteau du four, { *il était en train de brûler.* (souligné)
~~il a brûlé~~.

À la mairie, le jour de son mariage, { *~~il disait non~~.*
il a dit non. (souligné)

1. Quand nous sommes rentrés à minuit, { mes parents nous attendaient.
mes parents nous ont attendus.

2. Quand Pierre est descendu du train, { Marie l'appelait.
Marie l'a appelé.

3. Quand j'ai croisé le concierge dans l'escalier, { il descendait la poubelle.
il a descendu la poubelle.

4. Quand elle a eu son premier enfant, { elle a eu 18 ans.
elle avait 18 ans.

5. Quand Sophie a poussé la porte d'entrée, { on lui souhaitait son anniversaire.
on lui a souhaité son anniversaire.

6. Quand j'ai ouvert la fenêtre, { le froid est entré.
le froid entrait.

7. Quand il s'est levé, { il a fait nuit.
il faisait nuit.

8. Le jour de leur mariage, { ils ont eu deux enfants.
ils avaient deux enfants.

9. Quand elle est allée à Fribourg, { elle passait par Genève.
elle est passée par Genève.

10. Après son intervention, { j'ai pris une décision.
je prenais une décision.

11. Quand je suis sorti, { je n'ai rencontré personne.
je ne rencontrais personne.

12. Quand le facteur lui a donné sa lettre, { elle ne l'a pas lue tout de suite.
elle ne la lisait pas tout de suite.

Observez les différences de formes verbales et représentez-vous les différences de sens qui s'ensuivent.

Quand elle a plongé, **elle a eu peur.**
(au moment de plonger, pas avant, début de la peur)

Quand elle a plongé, **elle avait peur.**
(la peur était déjà là, elle avait déjà peur avant de plonger)

	PASSÉ COMPOSÉ	IMPARFAIT
	À ce moment-là **À partir de ce moment-là** **Au moment de…**	**Déjà** **Avant** **Auparavant**
Quand elle a plongé	elle a eu peur	elle avait peur
Quand je me suis approché	tout le monde s'est tu	tout le monde se taisait
Quand il est entré dans la salle	ses amis ont applaudi	ses amis applaudissaient
Quand l'acteur est entré sur scène	il a eu le trac	il avait le trac
Quand les Dulac sont arrivés	nous nous sommes ennuyés	nous nous ennuyions
À la fin du film	j'ai pleuré	je pleurais
À la fin du repas	tout le monde a chanté	tout le monde chantait
Quand le père a éteint la télévision	les enfants ont crié	les enfants criaient
Quand le ministre a démissionné	il a eu des problèmes	il avait des problèmes
Quand j'ai ouvert la fenêtre	un voisin m'a appelé	un voisin m'appelait
Quand je suis arrivé	elle a fait du café	elle faisait du café
Quand son maître l'a appelé	le chien a aboyé	le chien aboyait

Reformulations possibles :
- « commencer à », « se mettre à » pour le passé composé.
- « être en train de » pour l'imparfait.

Complétez les phrases avec le verbe donné entre parenthèses au passé composé ou à l'imparfait selon la situation.

1. Quand le réveil a sonné,
   je (*se lever*) immédiatement *je me suis levé immédiatement*
   je (*dormir*) profondément *je dormais profondément*

2. Quand je suis rentré chez moi,
   le voleur (*s'enfuir*) tout de suite ______
   le voleur (*être en train*) de fouiller ______

3. Quand le médecin est arrivé,
   le malade (*dormir*) calmement ______
   le malade (*expliquer*) son cas ______

4. Quand je l'ai entendu chanter pour la première fois,
   ce chanteur (*avoir 20 ans*) ______
   ce chanteur me (*plaire*) ______

5. Quand l'ambulance est arrivée,
   la foule (*s'écarter*) ______
   la foule (*entourer*) le blessé ______

6. Quand le conférencier a commencé à parler,
   le public (*se taire*) ______
   le public (*ne pas être*) attentif ______

7. Quand je t'ai rencontré pour la première fois,
   tu (*ne pas me remarquer*) ______
   tu (*ne pas être*) seul ______

8. Quand j'ai arrêté mes études,
   mes parents (*ne pas être d'accord*) ______
   je (*partir*) à l'étranger ______

9. Quand les joueurs sont entrés sur le terrain,
   tous les spectateurs (*se lever*) ______
   le stade (*être*) plein ______

10. Quand j'ai arrêté de fumer,
    je (*grossir*) de 10 kilos ______
    J'(*avoir*) 35 ans ______

Racontez ces contes traditionnels au passé.

BOUCLE D'OR ET LES TROIS OURS

Un jour une petite fille se promène dans une forêt. Elle voit une petite maison. Elle entre dans la maison. Elle remarque une table où il y a trois assiettes de soupe. Elle a faim, elle mange le contenu des trois assiettes. Comme elle a sommeil, elle veut se reposer. Dans la chambre il y a trois lits ; le premier est trop dur, le second trop mou, mais le troisième, elle le trouve très confortable. Elle s'y couche et s'endort immédiatement.

Un peu plus tard les trois ours qui habitent cette maison rentrent chez eux. Ils remarquent que leurs assiettes sont vides. Puis ils entrent dans la chambre et aperçoivent la petite fille qui dort. Le plus petit des ours crie. À ce bruit la petite fille se réveille, elle a peur et elle s'enfuit de la maison en courant.

LE PETIT CHAPERON ROUGE

Une petite fille, tout habillée de rouge, se promène dans la forêt. Elle doit apporter à sa grand-mère malade un petit pot de beurre et une galette. En chemin, elle rencontre un loup qui a faim. Ils décident d'aller chez la grand-mère chacun par un chemin différent. Le loup arrive chez la grand-mère avant elle et la mange. À son tour, la petite fille arrive. Elle frappe à la porte, elle entre. Elle a peur car elle comprend que c'est le loup qui est dans le lit de sa grand-mère. Elle sort chercher de l'aide. Elle trouve un chasseur qui tue le loup et sort la grand-mère vivante du ventre du loup.

ALADIN OU LA LAMPE MERVEILLEUSE

Un petit garçon vit dans une famille très pauvre. Un jour, un homme étrange lui demande de descendre dans un souterrain chercher une vieille lampe. Il ne veut pas y aller parce qu'il a peur.

Alors l'homme le précipite dans le souterrain. Le garçon effrayé, en cherchant la sortie, trouve la vieille lampe et par mégarde la frotte. Ce qu'il ne sait pas, c'est que cette lampe est magique. Aussitôt un géant apparaît qui lui demande ce qu'il veut. Il sort du souterrain grâce au géant, devient très riche et se marie avec la fille du roi.

A. *Classez les raisons proposées selon leur forme verbale.*

UN ACCIDENT A EU LIEU. POURQUOI ?

Le chauffeur a ouvert sa portière brusquement • Le chauffeur du camion roulait trop rapidement • La route était glissante • Le chauffeur avait bu • Il y avait beaucoup de circulation • Un pneu a éclaté • Le camion a doublé sans prévenir • Le chauffeur était fatigué • Le chauffeur n'avait pas allumé ses feux • Des manifestants bloquaient la route • Le chauffeur s'est endormi • Le chauffeur roulait en sens interdit • Les freins du camion ont lâché • Le chauffeur n'avait pas vérifié ses freins • Le chauffeur a brûlé un feu rouge • Le chauffeur avait oublié de mettre sa ceinture • Le chauffeur a eu un malaise • Le chauffeur n'avait pas signalé qu'il tournait à gauche.

Imparfait :

____

____

____

____

____

____

Passé composé :

____

____

____

____

____

____

Plus-que-parfait :

____

____

____

____

____

B. *De la même manière, cherchez des raisons aux événements suivants et classez-les selon la forme verbale utilisée :*

Échouer ou réussir à un examen
Perdre ou gagner un match
Passer un bon ou un mauvais week-end
Quitter sa famille

FORMATION

auxiliaire être ou avoir à l'imparfait + participe passé		
J'avais parlé	J'étais revenu(e)	Je m'étais aperçu(e)
Tu avais parlé	Tu étais revenu(e)	Tu t'étais aperçu(e)
Il avait parlé	Il était revenu	Il s'était aperçu
Nous avions parlé	Nous étions revenu(e)s	Nous nous étions aperçu(e)s
Vous aviez parlé	Vous étiez revenu(e)s	Vous vous étiez aperçu(e)s
Ils avaient parlé	Ils étaient revenus	Ils s'étaient aperçus

EMPLOI

Toujours situé dans le passé,
le plus-que parfait marque l'antériorité :

- **d'une action ou un événement ponctuel (plus-que-parfait / passé composé).**

  « Je l'ai frappé parce qu'il m'avait frappé. » ou « Il m'avait frappé, alors je l'ai frappé. »

  « Il avait invité quinze amis pour son anniversaire, ils sont venus à trente. »

  « J'avais terminé mes études depuis un an quand j'ai commencé à travailler. »

- **d'actions ou d'événements habituels (plus-que-parfait / imparfait).**

  « Pendant les vacances, chez ma grand-mère, quand on avait fini de déjeuner, on allait prendre le café sur la terrasse et mon grand-père allait faire une sieste. »

  « Dans certains pays autrefois, quand quelqu'un avait volé, on lui coupait la main. »

A. *Observez la photo, lisez les questions et répondez-y librement. Comparez vos réponses.*

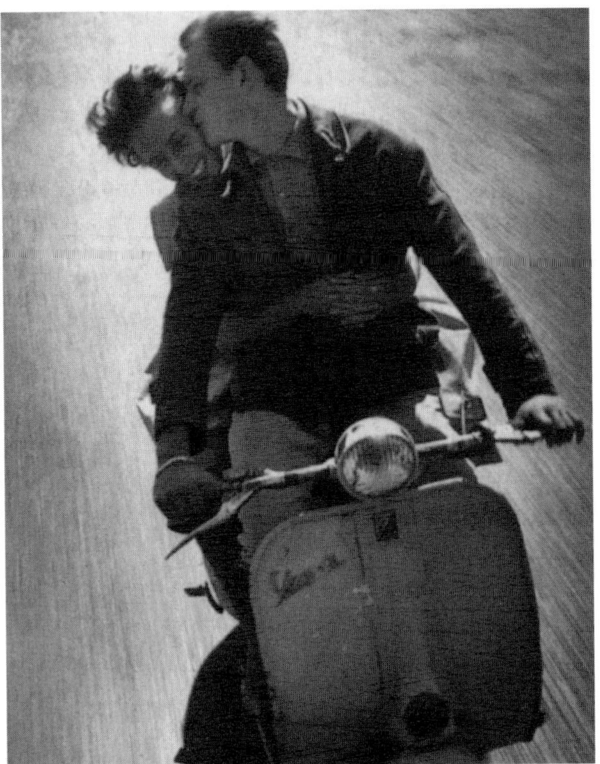

- En quelle année cela se passait-il ?
- Quel âge avaient-ils ?
- En quelle saison était-ce ?
- Où allaient-ils ? D'où venaient-ils ?
- Que faisaient-ils dans la vie ? Étaient-ils étudiants ? Travaillaient-ils ?
- Est-ce qu'ils se connaissaient depuis longtemps quand la photo a été prise ? Étaient-ils amis d'enfance ? Venaient-ils de se rencontrer ? Est-ce qu'ils s'étaient connus la veille, quelques semaines avant ? Où s'étaient-ils connus ?
- Est-ce que leurs parents, leurs amis connaissaient leur relation ? Était-ce une relation cachée ?
- Est-ce qu'ils avaient des projets d'avenir ?
- Qu'est-ce qu'ils avaient fait ce jour-là, l'un et l'autre, avant de partir ensemble sur ce scooter ?
- Que sont-ils devenus ? Que s'est-il passé dans leur vie depuis ?

B. *Écrivez un récit à partir de ce que vous avez imaginé.*

Futur

Vous me retrouverez
Au café du Palais
A l'heure indiquée
Vous me reconnaîtrez
A mon chapeau violet
A un très gros cigare
Que je fumerai
A trois petites notes
Que je siffloterai

Au café du Palais
A l'heure indiquée
Mais soyez très discret
Il y a du danger.

MLC.

3
Futur

Écoutez, puis complétez.

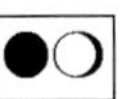

IMMINENCE

1. Sortez ! Sortez vite ! Ça *va exploser* !
2. Attention, tu ______________________________ !
3. Chut, on ______ nous ______________________ !
4. Mais arrête, tu ______ lui ______________________ !
5. Taisez-vous, vous ______ me ______________________ !
6. Allez ! Dépêche-toi, tu ______________________ en retard !
7. Éteins le four, ça ______________________________ !
8. Prends le volant, je ______________________________ !
9. Dépêchons-nous, ça ______________________________ !
10. Allez ! file ! tu ______________________ ton rendez-vous !
11. Allons-y, ça ______________________________ l'heure !
12. Doucement, ralentis, tu ______ nous ______________ !
13. Allume la télé, ça ______________________________ !
14. Plus vite, plus vite , tu ______________________ ton record !

FORMATION

Je vais	+ infinitif	Nous allons	+ infinitif
Tu vas	+ infinitif	Vous allez	+ infinitif
Il va	+ infinitif	Ils vont	+ infinitif

EMPLOI

Le futur proche est choisi si l'on veut :

- marquer la proximité temporelle effective de l'action :

  Attention, ça va exploser.
- ou la proximité psychologique de l'action dans l'esprit du locuteur :

  L'année prochaine je vais faire le tour du monde.

Remarque :
on peut exprimer une plus grande proximité de l'action par l'expression « être sur le point de » :

Les négociations sont sur le point d'aboutir.

A. *Lisez les phrases suivantes. Soulignez les phrases qui s'appliquent à vous.* 

L'ANNÉE PROCHAINE

1. Je vais quitter mon pays/Je vais retourner dans mon pays/Je vais rester dans mon pays.
2. Je vais cesser mes études/Je vais continuer mes études/Je vais interrompre mes études/Je vais commencer mes études/Je vais passer des examens.
3. Je vais chercher un travail/Je vais changer de travail/Je vais prendre ma retraite/Je vais continuer à travailler.
4. Je vais rester dans mon logement actuel/Je vais déménager.
5. Je vais continuer à apprendre le français /Je vais apprendre une autre langue/ Je vais abandonner le français.
6. Je vais me marier/Je vais rester célibataire.
7. Je vais changer d'école ou d'université/Je vais rester dans la même école ou université.
8. Je vais faire un petit voyage/un grand voyage/Je vais faire le tour du monde.
9. Je ne sais pas ce que je vais faire/Je sais ce que je vais faire.
10. Tout va changer dans ma vie/Rien ne va changer/Je ne sais pas ce qui va changer.

B. *Posez-vous ces questions et répondez-y.*

1. Est-ce que vous savez ce que vous allez faire l'année prochaine ?

____

2. Est-ce que vous savez ce que vous allez faire dimanche prochain ?

____

3. Est-ce que vous savez ce que vous allez faire pendant les prochaines vacances ?

____

4. Est-ce que vous savez ce que vous allez faire demain soir ?

____

5. Est-ce que vous savez si vous allez passer une bonne semaine ?

____

6. Est-ce que vous savez s'il va faire beau le week-end prochain ?

____

7. Est-ce que vous savez si vous allez bien dormir cette nuit ?

____

A. *Prenez connaissance de ces questions ; rajoutez en quelques-unes puis échangez.*

Connaissez-vous personnellement quelqu'un qui pendant les jours, semaines ou mois qui viennent :

- va faire le tour du monde ?
- va sortir de prison ?
- va devenir célèbre ?
- va prendre sa retraite ?
- va prendre une décision importante ?
- va avoir un enfant ?
- va tourner un film ?
- va se marier ?
- va vous manquer ?
- va quitter son pays ?
- va acheter un animal ?
- va écrire un livre ?
- va se laisser pousser la moustache ou la barbe ?
- va vous emprunter de l'argent ?
- va se faire refaire le nez ou les dents ?
- va vous refuser quelque chose ?
- va commettre une bêtise ?
- va monter une entreprise
- va chercher du travail
- va changer de voiture

Pour répondre

Je connais quelqu'un qui…
Je connais une personne qui…
Je ne connais personne qui…
J'ai un ami/un voisin/un frère qui…

☞ relatifs, 190

A. *Passez d'une langue soutenue à une langue plus familière.*

☞ interrogation, 205

Que vais-je leur dire ?	*Qu'est-ce que je vais leur dire ?*
Par où vais-je commencer ?	*Par où (est-ce que) je vais commencer ?*

1. Comment vais-je leur expliquer ? ______
2. Vais-je réussir à les convaincre ? ______
3. Vont-ils me croire ? ______
4. Comment vont-ils réagir ? ______

B. *Passez d'une langue familière à une langue plus soutenue.*

Qu'est-ce qui va se passer ?	*Que va-t-il se passer ?*
(Est-ce que) la situation va s'améliorer ?	*La situation va-t-elle s'améliorer ?*
Qu'est-ce que nous allons faire ?	*Qu'allons-nous faire ?*

1. Qu'est-ce que nous allons devenir ? ______
2. Comment (est-ce que) nous allons vivre ? ______
3. Combien de temps (est-ce que) cela va durer ? ______
4. À qui (est-ce que) nous allons nous adresser ? ______
5. Jusqu'à quand (est-ce qu') on va rester ici ? ______
6. Est-ce que les choses vont changer ? ______
7. Est-ce que nous allons trouver une solution ? ______
8. Est-ce qu'on va arriver à se mettre d'accord ? ______
9. Qu'est-ce qu'on va faire ? ______
10. Qu'est-ce qu'on va décider ? ______

Reformulations

Je ne sais pas / *Je me demande* { *ce que…* / *si…* / *comment/par où/à qui…*

A. *Écoutez et barrez les « e » non prononcés dans le verbe au futur.*

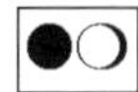

SI UN JOUR, VOUS GAGNEZ UNE TRÈS GROSSE SOMME D'ARGENT, QU'EN FEREZ-VOUS ?

☞ le/la/l', 162
en, 168

- je la placerai dans une banque suisse.
- j'offrirai des cadeaux à tous mes amis.
- je m'arrêterai de travailler.
- je la brûlerai ou je la jetterai.
- je la distribuerai.
- je la cacherai sous mon matelas.
- je la jouerai au casino.
- j'en donnerai… un peu seulement.
- je prendrai de très longues vacances.
- je me construirai une maison luxueuse.
- j'essaierai de vivre de mes rentes.
- je tapisserai ma chambre avec les billets.
- j'emmènerai toute ma famille faire un grand voyage.
- je m'achèterai une île déserte.
- je ne sais pas à quoi je l'emploierai.
- j'achèterai des animaux de zoo et je les libèrerai.
- je commencerai une collection de pierres précieuses.
- je demanderai conseil à un banquier.
- je serai bien embêté.

B. *Échangez.*

Et toi, que feras-tu ? Tu la placeras… ? Tu l'offriras… ?

Et vous, que ferez-vous ? Vous la placerez… ? Vous l'offrirez… ?

Remarque :

Généralement le « e » ne se prononce pas :
je placerai [plasʀɛ], *je m'arrêterai* [aʀɛtʀɛ], *je jetterai* [ʒɛtʀɛ].

Futur simple ➤➤ *Observation/formation irrégulière*

Écoutez, soulignez les formes verbales au futur, puis écrivez l'infinitif des verbes.

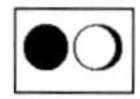

SAMEDI AU BUREAU !

- ALLER J'irai au bureau samedi.
- ÊTRE Tout le monde sera en week-end, je serai tranquille.
- AVOIR Il n'y aura personne, j'aurai tout mon temps.
- FAIRE Je ferai tout le travail en retard.

SECRET BIEN GARDÉ

- ______________ Soyez tranquille. Personne ne le saura.
- ______________ Je tiendrai ma langue.
- ______________ Je ne dirai rien,
- ______________ Vous verrez !

CŒUR INSENSIBLE

- ______________ Rien ne vous émeut !
- ______________ Est-ce que vous vous émouvrez
- ______________ le jour où je mourrai ?

HÔTE DE QUALITÉ

- ______________ Dès que vous obtiendrez votre visa,
- ______________ vous nous préviendrez.
- ______________ Nous vous retiendrons une chambre d'hôtel
- ______________ et nous tiendrons une voiture à votre disposition.
- ______________ Notre président vous recevra
- ______________ le jour qui vous conviendra.

LIBERTÉ

- ______________ Tu viendras quand tu voudras.
- ______________ Tu viendras quand tu pourras.
- ______________ J'espère qu'il ne pleuvra pas.

PATIENCE

- ______________ Ne nous précipitons pas, cela vaudra mieux.
- ______________ Je vous enverrai tout demain
- ______________ sinon, il faudra tout recommencer,
- ______________ on devra tout refaire.

TERMINAISONS DU FUTUR					
J'	habiter **ai**	[abitʀɛ]	Nous	habiter **ons**	[abitʀõ]
Tu	habiter **as**	[abitʀa]	Vous	habiter **ez**	[abitʀe]
Il	habiter **a**	[abitʀa]	Ils	habiter **ont**	[abitʀõ]

FORMATION RÉGULIÈRE			FORMATION IRRÉGULIÈRE	
–ER	*Tous les verbes* ——→		*sauf :*	
	Marcher	Je marcherai	Aller	J'irai
	Donner	Je donnerai		
	Parler	Je parlerai		
	Jouer	Je jouerai		
–E–ER	Acheter	J'achèterai		
–É–ER	Répéter	Je répèterai		
	Appeler	J'appellerai		
	Jeter	Je jetterai		
–AYER	Payer	Je paierai		
	Essayer	J'essaierai		
–OYER	Nettoyer	Je nettoierai		
–UYER	Appuyer	J'appuierai		
	S'ennuyer	Je m'ennuierai		
–IR	*Tous les verbes* ——→		*sauf :*	
	Dormir	Je dormirai	Venir	Je viendrai
	Partir	Je partirai	Tenir	Je tiendrai
	Finir	Je finirai	Mourir	Je mourrai
			Courir	Je courrai
			Acquérir	J'acquerrai
–RE	*Tous les verbes* ——→		*sauf :*	
	Mettre	Je mettrai	Faire	Je ferai
	Prendre	Je prendrai	Être	Je serai
	Boire	Je boirai		
	Écrire	J'écrirai		
	Plaire	Je plairai		
–OIR	*Tous les verbes*			
	Avoir	J'aurai		
	Savoir	Je saurai		
	Pouvoir	Je pourrai		
	Voir	Je verrai		
	Devoir	Je devrai		
	Recevoir	Je recevrai		
	Valoir	Je vaudrai		
	Vouloir	Je voudrai		
	Falloir	Il faudra		
	Pleuvoir	Il pleuvra		
	S'asseoir	Je m'assiérai		
		Je m'assoirai		

Remarque :

- Verbes en –OYER, –AYER, –UYER : **Y** → **i** :
  *je netto**i**erai, je pa**i**erai, j'appu**i**erai.*

A. *Lisez.*

ORDRES

Les dix commandements du Dieu vélo

- Tu observeras la priorité.
- Tu ne rouleras jamais à deux de front.
- Tu tiendras constamment ta droite et plus encore dans les virages et lorsqu'on te dépassera.
- Tu préviendras tout changement de direction en étendant franchement le bras du côté où tu vas tourner.
- Tu surveilleras tes pneus.
- Tu vérifieras tes freins.
- Tu n'emprunteras pas les routes interdites.
- Tu rouleras, quand elles existent, sur les pistes cyclables.
- Tu te méfieras du brouillard (les autos ne voient pas les cyclistes), des chiens et poules sur les petites routes de campagne, des gravillons (dérapages), des guêpes (assez rapides pour te poursuivre), des enfants (qui traversent à l'improviste)...
- Tu porteras un casque.

Le Touring Club

B. *Rédigez d'autres commandements sur d'autres sujets (tu ou vous).*

LES COMMANDEMENTS...

- du bon ou du mauvais médecin
- de l'homme politique idéal
- des parents ou des enfants
- du Don Juan
- de l'élève ou du professeur modèle
- du couple idéal
- d'une vedette de la chanson
- de l'animal de campagne
- d'un chercheur scientifique...

A. *Complétez oralement puis écrivez.*

PROMESSES, SERMENTS

1. Je ne (*recommencer*) plus jamais. Promis ! *Je ne recommencerai plus.*
2. Je t'assure que je ne (*s'énerver*) plus. __________
3. Je ne (dire) rien, je ne (*parler*) pas, je (*garder*) ma langue. __________
4. Je t'(*aimer*) toute ma vie, je te le jure. __________
5. Je vous (*écrire*) chaque semaine, promis ! __________
6. Je vous assure, je vous (*rembourser*) le mois prochain. __________
7. C'est promis, nous (*venir*). __________
8. Comptez sur nous, on vous (*soutenir*). __________
9. On ne (*être*) pas en retard, c'est sûr. __________
10. Vous pouvez être tranquille, tout se (*passer*) bien. __________

Reformulations

Je te promets de…
Je te jure de…
Je t'assure que…

Je te promets que…
Je te jure que…
Tu peux être sûr(e) que…

B. *Faites par groupe des inventaires de promesses.*

☞ celui, celle, 179
celles qui, 199

- Celles que l'on vous a faites.
- Celles que vous avez faites.
- Celles d'enfants à leurs parents ou vice versa.
- Celles d'un homme politique avant son élection, etc.

Complétez au futur.

☞ temps, 239

1. Pour le moment, il ne veut pas se marier mais il ______________________
______________________ (un jour peut-être).

2. Je ne peux pas vous répondre maintenant mais je ______________________
______________________ (demain certainement).

3. Elle n'a pas encore 20 ans, elle ______________________
______________________ (le mois prochain).

4. Je ne peux pas y aller tout de suite, ______________________
______________________ (cet après-midi).

5. Il ne fait pas très beau, j'espère que ______________________
______________________ (demain).

6. Il ne vient pas cette semaine mais il ______________________
______________________ (probablement la semaine prochaine).

7. Je ne bois pas d'alcool et je ______________________
______________________ (jamais).

8. Je n'ai pas encore pris l'avion mais je ______________________
______________________ (sûrement un jour).

9. Tu n'as pas eu mon permis de conduire ? Tu ______________________
______________________ (la prochaine fois).

10. Vous n'avez pas fini ? Vous ______________________
______________________ (plus tard).

Lu dans la presse le 8 juin après le voyage d'un chef d'État étranger en France.

L'avion du chef d'État a atterri à 11 heures à l'aéroport d'Orly. Il a été accueilli à sa descente d'avion par le premier ministre et son épouse. Il s'est rendu ensuite directement à l'Élysée où l'attendait le président français qui a donné en son honneur un déjeuner où étaient conviées de nombreuses personnalités. À 15 heures, les deux chefs d'État ont eu un entretien au cours duquel ils ont abordé le problème des relations internationales. En fin d'après-midi, le chef d'État étranger a reçu quelques journalistes et a répondu en français à leurs questions. La première journée du voyage s'est terminée par l'audition d'un concert de musique contemporaine.

Quel article pouvait-on lire le 5 juin avant l'arrivée de ce chef d'État ?

L'avion du chef d'État atterrira à 11 heures à l'aéroport d'Orly. Il ____

Développez les titres suivants en utilisant le futur.

1

MATCH FRANCE-ÉCOSSE REPORTÉ ?

Le match France-Écosse sera-t-il reporté ?

2

Froid et pluie demain

3

REPRISE DEMAIN DES NÉGOCIATIONS SALARIALES

4

LE PROCHAIN FILM DE PICCOLINI BIENTÔT SUR NOS ÉCRANS

5

LE PRÉSIDENT DES ÉTATS-UNIS EN FRANCE

6

SIGNATURE POSSIBLE D'UN ACCORD ÉCONOMIQUE FRANCO-CHINOIS

7

PAS DE DISCUSSION SYNDICAT-PATRONAT AVANT LES ÉLECTIONS

8

OUVERTURE DU FESTIVAL DE CANNES DANS UNE SEMAINE

9

AUGMENTATION DU PRIX DE L'ESSENCE LE MOIS PROCHAIN

10

LANCEMENT D'UNE FUSÉE POUR SATURNE

11

Grande manifestation étudiante à la fin de la semaine

© Henri Cartier-Bresson, Paris 1954.

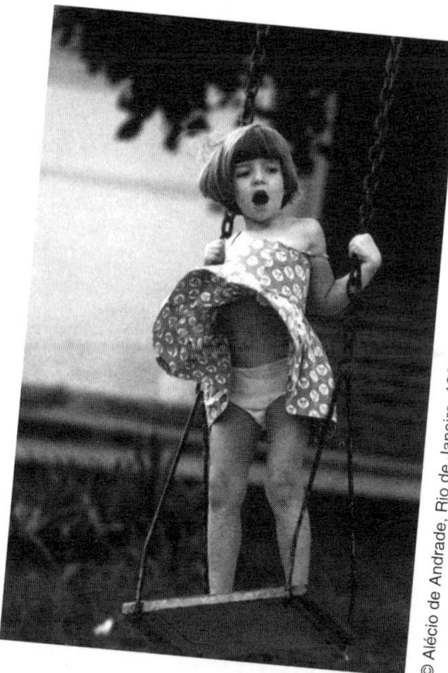
© Alécio de Andrade, Rio de Janeiro, 1964.

- Qui seront-ils plus tard ?
- Où vivront-ils ?
- Comment ? Quel type de vie mèneront-ils ?
- Feront-ils des études ? Travailleront-ils ? Quelle sera leur profession ?
- Se marieront-ils ?
- Vivront-ils seuls ?
- Auront-ils des amis ? des ennemis ?
- Quelles seront leurs activités ? leurs goûts ?
- Auront-ils des bonheurs ? des malheurs ? Quelles difficultés rencontreront-ils ?
- Seront-ils heureux ? célèbres ? solitaires ?...
- Vivront-ils vieux ?

Imaginez l'avenir de chacun de ces enfants. Écrivez ici celui de l'un d'entre eux.

A. *Formulez ces phrases oralement. Utilisez le futur simple.*

1. Je ne sais pas si je (*pouvoir*) venir, mais j'(*essayer*).
2. Tu (*faire*) ce que tu (*vouloir*) ! Tu (*aller*) où tu (*vouloir*) !
3. Je n'(*aller*) pas te chercher à la gare, je n'(*avoir*) pas le temps.
4. Le directeur vous (*recevoir*) demain à 10 heures.
5. Dans quelques jours tout le monde le (*savoir*), tout le monde (*être*) au courant.
6. On vous (*prévenir*) dès qu'on le (*savoir*).
7. On se (*revoir*) certainement.
8. Elle ne (*vouloir*) pas, vous ne (*parvenir*) pas à la convaincre.
9. Je vous (*rappeler*) plus tard.
10. Ce tableau (*valoir*) très cher dans quelques années.
11. Tu te (*souvenir*) ? Tu n'(*oublier*) pas ? Tu m'(*emmener*) à la gare.
12. Insistez ! Vous (*obtenir*) ce que vous (*vouloir*).
13. Il (*pleuvoir*), il ne (*pleuvoir*) pas ? On (*voir*) bien !
14. Il (*falloir*) faire attention, nous (*devoir*) être prudents.
15. Je vous (*envoyer*) la facture, vous (*payer*) le mois prochain.
16. Vous ne vous (*ennuyer*) pas, je vous le promets. Ça (*être*) intéressant.

Écrivez les formes verbales ci-dessous.

1. pourrai , essaierai.
2. ______________________
3. ______________________
4. ______________________
5. ______________________
6. ______________________
7. ______________________
8. ______________________
9. ______________________
10. ______________________
11. ______________________
12. ______________________
13. ______________________
14. ______________________
15. ______________________
16. ______________________

B. *Écoutez et écrivez le poème.* 

Conditionnel

Je n'aimerais pas vivre en Amérique
mais parfois si.
J'aime bien vivre en France
mais parfois non.
J'aimerais bien vivre dans le grand Nord
mais pas trop longtemps.
Je n'aimerais pas vivre dans un hameau
mais parfois si.
J'aime bien vivre à Paris
mais parfois non.
J'aimerais vivre vieux
mais parfois non.

Extrait de G. Pérec, *Penser Classer.*

FORMATION

- **Base** : La base du conditionnel est la même que celle du futur (voir p. 108).
- **Terminaisons :** Les terminaisons sont celles de l'imparfait.

Futur		Conditionnel		Imparfait	
J'	aimer ai	J'	aimer ais	J'	aim ais
Tu	aimer as	Tu	aimer ais	Tu	aim ais
Il	aimer a	Il	aimer ait	Il	aim ait
Ils	aimer ont	Ils	aimer aient	Ils	aim aient
Nous	aimer ons	Nous	aimer ions	Nous	aim ions
Vous	aimer ez	Vous	aimer iez	Vous	aim iez

même prononciation

QUELQUES EMPLOIS

Le conditionnel est utilisé

- pour atténuer la force d'une demande ou d'un ordre (conditionnel « de politesse »)
  Je voudrais un steak-frites.
  Vous pourriez répéter s'il vous plaît ?
  Tu n'aurais pas une cigarette ?
  Tu me prêterais 100 F ?
  Je voudrais vous parler.
- pour exprimer un désir, un souhait :
  J'aimerais bien voyager.
  Ça me plairait d'apprendre le russe.
- pour conseiller, suggérer :
  Tu devrais travailler.
  Nous devrions nous reposer.
  Je devrais cesser de fumer.
  Il faudrait annuler la réunion.
  Il vaudrait mieux éviter les discussions inutiles.

Changez de formulation.

FORMULATION BRUTALE	FORMULATION COURTOISE
A. *Avec le verbe vouloir.*	
À UN SERVEUR : Je veux un café !	*Je voudrais un café.*
1. **À UN AMI :** On veut essayer ta voiture !	____________________
2. **À UN SUPÉRIEUR :** Je veux vous parler.	____________________
3. **À UN AVOCAT :** Nous voulons un rendez-vous.	____________________
4. **À UN EMPLOYÉ :** Je veux un renseignement.	____________________
B. *Avec le verbe pouvoir.*	
DANS UN TRAIN : Fermez la fenêtre.	*Vous pourriez fermer la fenêtre ?*
1. **DANS UN LIEU PUBLIC :** Ne fume pas !	____________________
2. **DANS UN RESTAURANT :** Vérifiez l'addition !	____________________
3. **DEVANT UNE CABINE TÉLÉPHONIQUE :** Passe-moi ta carte téléphonique.	____________________
4. **À L'HÔTEL :** Ma clé !	____________________
5. **À TABLE :** Le sel !	____________________

Si vous attaquez une banque vous avez le choix entre ces formulations :

> « Le fric ! »
> « Passez-moi le fric de la caisse ! »
> « Pouvez-vous me donner l'argent de la caisse ? »
> « Pourriez-vous me donner l'argent de la caisse ? »
> « Auriez-vous l'amabilité de me donner l'argent de la caisse ? »

Les déterminants

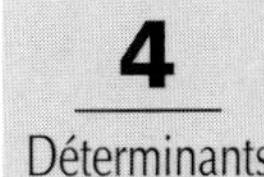

1, 2, 3, 10, 100...

Écoutez et répétez.

0	1	2	3	4	5	6	7	8	9
zéro	un	deux	trois	quatre	cinq	six	sept	huit	neuf

20	30	40	50	60	70	80	90
vingt	trente	quarante	cinquante	soixante	soixante-dix	quatre-vingts	quatre-vingt-dix

4 Déterminants

10	11	12	13	14	15	16	17	18	19
dix	onze	douze	treize	quatorze	quinze	seize	dix-sept	dix-huit	dix-neuf

21	31	41	51	61	71
vingt et un	trente et un	quarante et un	cinquante et un	soixante et un	soixante et onze

81	91
quatre-vingt-un	quatre-vingt-onze

22	23	24...
vingt-deux	vingt-trois	vingt-quatre...

100	200	300	401
cent	deux cents	trois cents	quatre cent un

1 000	10 000
mille	dix-mille
1 500	
mille cinq cents quinze cents	
100 000	1 000 000
cent mille	un million
1 000 000 000	
un milliard	

1er	premier (première)
2e	deuxième second(e)
3e	troisième
4e	quatrième
9e	neuvième
21e	vingt et unième
100e	centième
1 000e	millième

●○

Vrai ? Faux ? Dans la pièce où vous êtes :

Il y a...

des hommes, des femmes

Il y a...

____

Il y a...

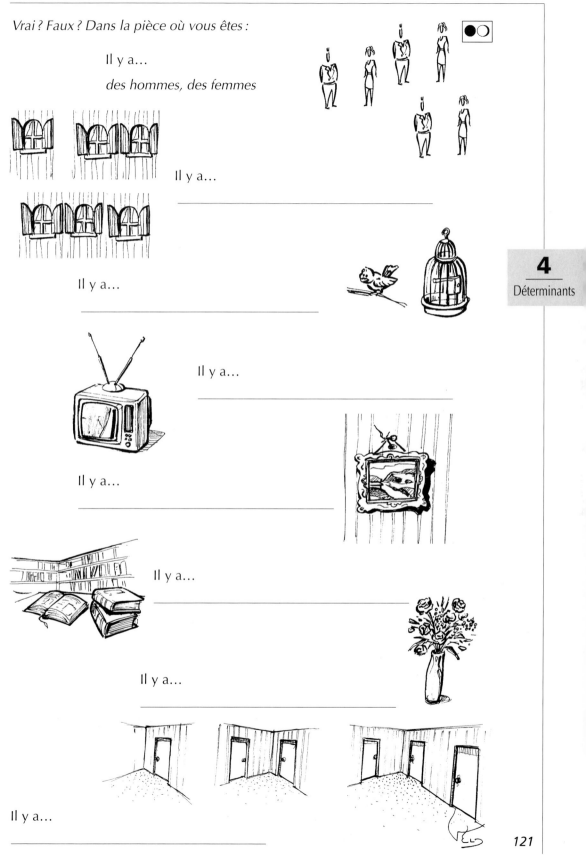

____

Il y a...

____

Il y a...

____

Il y a...

____

Il y a...

____

Il y a...

____

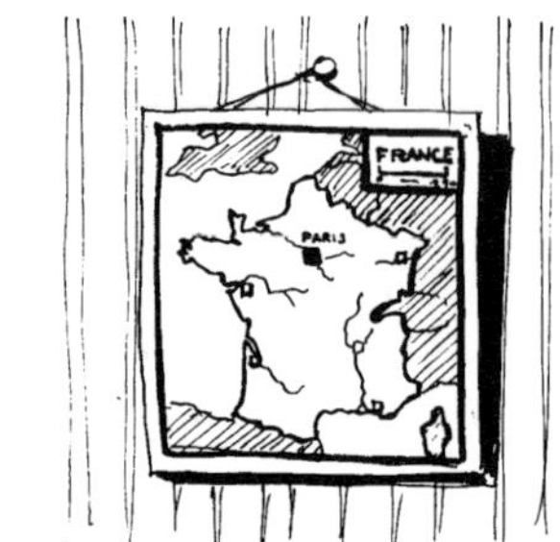

Il y a...

____

Il y a...

____

Il y a...

____

Il y a...

____

Il y a...

____

Il y a...

____

Complétez avec les mots entendus.

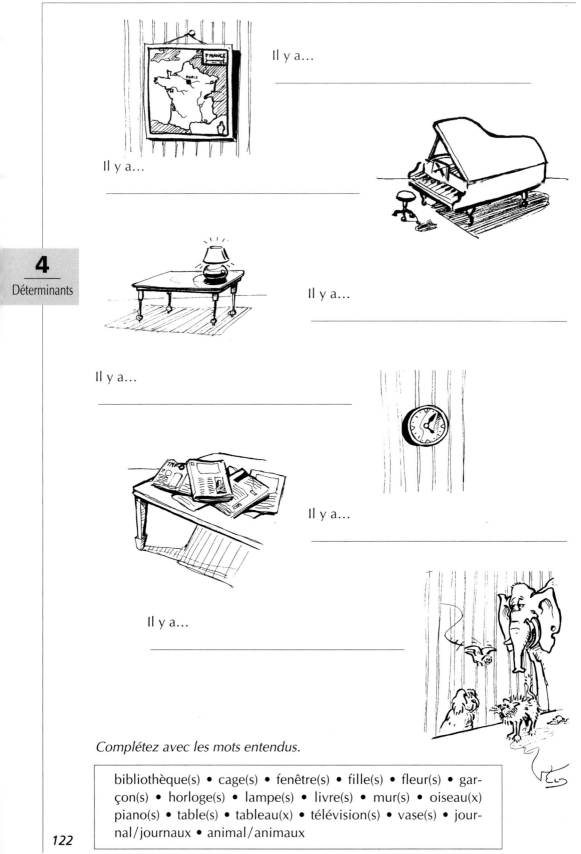

bibliothèque(s) • cage(s) • fenêtre(s) • fille(s) • fleur(s) • garçon(s) • horloge(s) • lampe(s) • livre(s) • mur(s) • oiseau(x) piano(s) • table(s) • tableau(x) • télévision(s) • vase(s) • journal/journaux • animal/animaux

A. *Écoutez et notez devant chaque mot le déterminant.*
Notez la liaison ou l'enchaînement par le signe ‿ .

PERSONNES

un garçon • un père • un‿ami • un‿homme • un‿enfant • une mère une femme • une fille • une‿amie • des parents • des pères • des mères • des garçons • des filles • des‿enfants • des‿amis • des‿amies

TEMPS DURÉE

une seconde • _____ minute • _____ heure • _____ jour • _____ semaine • _____ mois • _____ trimestre • _____ an • _____ matin • _____ après-midi • _____ soir • _____ nuit

TRANSPORTS

un‿avion • _____ train • _____ bus • _____ voiture • _____ taxi • _____ aéroport • _____ gare • _____ station de taxi • _____ garage

LOGEMENT

_____ maison • _____ appartement • _____ studio • _____ pièce _____ chambre • _____ cuisine • _____ salle de séjour • _____ salle de bains • _____ entrée

ÉCOLE / UNIVERSITÉ

_____ cours • _____ classe • _____ élève • _____ étudiante • _____ étudiant • _____ professeur • _____ livre • _____ cahier • _____ dictionnaire • _____ stylo

MONDE

_____ continent • _____ pays • _____ région • _____ ville

Mots masculins au singulier commençant par		**Mots féminins au singulier commençant par**		**Mots masculins ou féminins au pluriel commençant par**	
une consonne	**une voyelle**	**une consonne**	**une voyelle**	**une consonne**	**une voyelle**
Un garçon père	**Un‿** homme enfant ami	**Une** femme fille mère	**Une‿** amie	**Des** parents	**Des‿** amis amies

☞ le, la, les, 126, 128,

B. *Continuez avec les autres mots.*

4 Déterminants

4 Déterminants

MARQUES DU PLURIEL SUR LE NOM

ORAL	ÉCRIT
• **EN GÉNÉRAL PAS DE DIFFÉRENCE SINGULIER / PLURIEL :**	• **PAS DE DIFFÉRENCE** **noms terminés par « s » « x » « z »**
un/des [ne]	un repas/des repas un nez/des nez une voix/des voix
	• **EN GÉNÉRAL DIFFÉRENCE SINGULIER / PLURIEL**
	+ « s » **Majorité des noms :**
un/des [livʀ] un/des [pjano]	un livre/des livre**s** un piano/des piano**s**
	+ « x » **Tous les noms en « eau »** (**sauf** landau, sarrau)
un/des [tablo]	un tableau → des tableau**x**
un/des [ʃapo]	un chapeau → des chapeau**x**
	Majorité des noms en « eu » (**sauf** pneu)
un/des [fø]	un feu → des feux un lieu → des lieux
	7 noms en « ou » :
un/des [biʒu]	bijou, caillou, chou, genou, hibou, joujou et pou
• **DIFFÉRENCE :** **noms en –al ou – ail**	**Changement de suffixe : al ; ail → aux**
	Les noms en « al » (**sauf** bal, carnaval, chacal, cérémonial, festival, récital)
un [ʃəval], des [ʃəvo]	un cheval → des chevaux
un [ʒuʀnal], des [ʒuʀno]	un journal → des journaux
[ɛ̃nanimal] [dezanimo]	un animal → des animaux
	Quelques noms en « ail » : bail, corail, émail, travail, vitrail un vitrail → des vitraux
un [tʀavaj], des [tʀavo]	un travail → des travaux

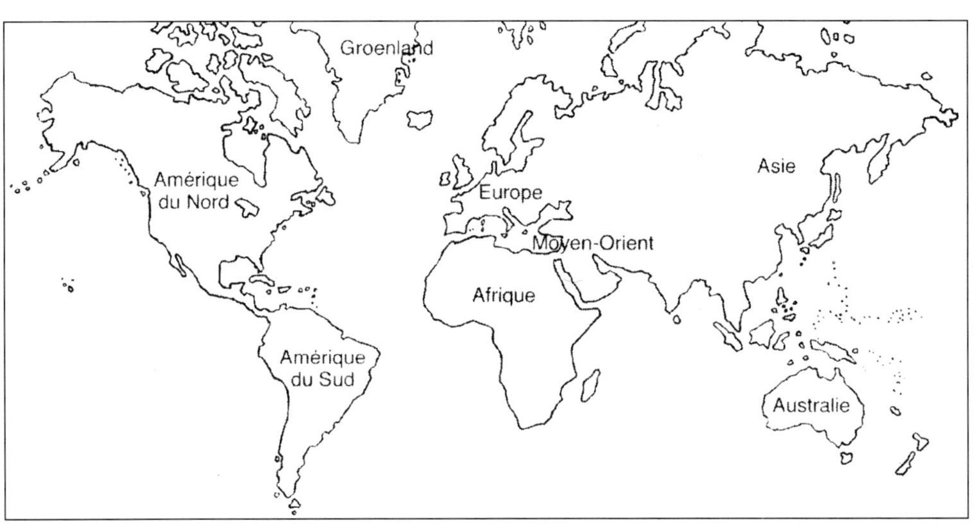

A. *Écoutez et notez l'article devant les noms de continents et de pays.*

_____ Europe • _____ Asie • _____ Afrique • _____ Amérique • _____ Océanie • _____ Canada • _____ Australie • _____ France • _____ Chine • _____ Algérie _____ Inde • _____ États-Unis • _____ Polynésie • _____ Vietnam • _____ Sénégal • _____ Bolivie • _____ Tunisie _____ Pays-Bas • _____ Italie • _____ Iles Fidji • _____ Portugal • _____ Gibraltar • _____ Madagascar • _____ Cuba • _____ Émirats arabes • _____ Philippines • _____ Équateur • _____ Tahiti

B. *Classez ces pays dans ce tableau.*

	LE	**LA**	**L'**	**LES**	**–**
EUROPE	Portugal	France	Italie	Pays-Bas	Gibraltar
ASIE					
AFRIQUE					
AMÉRIQUE					
OCÉANIE					

Le ? la ? l' ? les ? – ? Quelle est la règle ?

C. *Faites une liste : • des pays francophones, hispanophones… que vous connaissez ;*
• des pays que vous avez visités ou voudriez visiter.

☞ localisation, 232

Le, la, l', les ➤➤ *Discrimination*

A. *Écoutez les dialogues et complétez.*

1. « – La gare de l'Est ? c'est par là ?
   – Oui, tout droit. »

2. « – ___ centre ville, s'il vous plaît ?
   – C'est par là ! »

3. « – Allô ! ___ ambassade de France ?
   – Ah ! non, ce n'est pas ___ ambassade de France, c'est ___ consulat, monsieur.
   – Ah ! c'est ___ consulat ! excusez-moi.

4. « – ___ rue de ___ université, s'il vous plaît.
   – I don't speak french. »

5. « – Allô ? ___ hôtel de police ? Allô ! Vite !
   – Non, ici ___ hôtel Ritz. Allô ! Allô !

6. « – Où sont ___ toilettes, s'il vous plaît ?
   – Là !
   – Merci ! »

7. « – Je cherche ___ mairie.
   – Excusez-moi, je ne sais pas. »

8. « – Voilà ___ musée d'Orsay !
   – Merci, au revoir. » (le taxi part)

9. « – Vous connaissez ___ restaurant "Tavola Calda" ?
   – Oui, c'est dans ___ quartier italien. »

10. « – ___ bureau des informations, s'il vous plaît !
    – Troisième porte à droite ! »

B. *Classez les noms de lieux dans le tableau.*

Mots masculins au singulier commençant par		**Mots féminins au singulier commençant par**		**Mots masculins ou féminins au pluriel commençant par**	
une consonne	**une voyelle**	**une consonne**	**une voyelle**	**une consonne**	**une voyelle**
Le	**L'**	**La**	**L'**	**Les**	**Les**
______	______	gare	______	______	______
______	______	______	______	______	______
______	______	______	______	______	______
______	______	______	______	______	______

Lisez.

LE CHAUD ET LE FROID

L'est et l'ouest

La gauche et la droite

LES RICHES ET LES PAUVRES

Le rêve et la réalité

Les garçons et les filles

L'œuf
et la
poule

LA VIE ET LA MORT

LES PARENTS ET LES ENFANTS

LE PASSÉ, LE PRÉSENT ET L'AVENIR

Le jour et la nuit

Les animaux et les hommes

Faites d'autres associations.

____

____

____

____

____

____

____

____

MOI

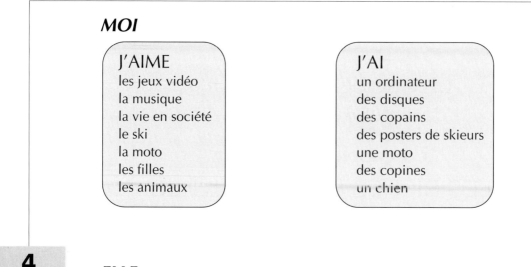

J'AIME
les jeux vidéo
la musique
la vie en société
le ski
la moto
les filles
les animaux

J'AI
un ordinateur
des disques
des copains
des posters de skieurs
une moto
des copines
un chien

ELLE

ELLE AIME
la lecture
les voyages
le chocolat
l'amitié
l'amour
l'indépendance

ELLE A
des livres
des guides de voyage
une provision de chocolat
des amis et des amies
un copain
une profession

MOI, CE QUE J'AIME

C'est ____________________
C'est ____________________
C'est ____________________
C'est ____________________
C'est ____________________
C'est ____________________
C'est ____________________
C'est ____________________
C'est ____________________
C'est ____________________

MOI, CE QUE JE N'AIME PAS

C'est ____________________
C'est ____________________
C'est ____________________
C'est ____________________
C'est ____________________
C'est ____________________
C'est ____________________
C'est ____________________
C'est ____________________
C'est ____________________

A. *Écoutez deux ou trois fois le dialogue sans écrire puis complétez.* 

À L'HÔTEL

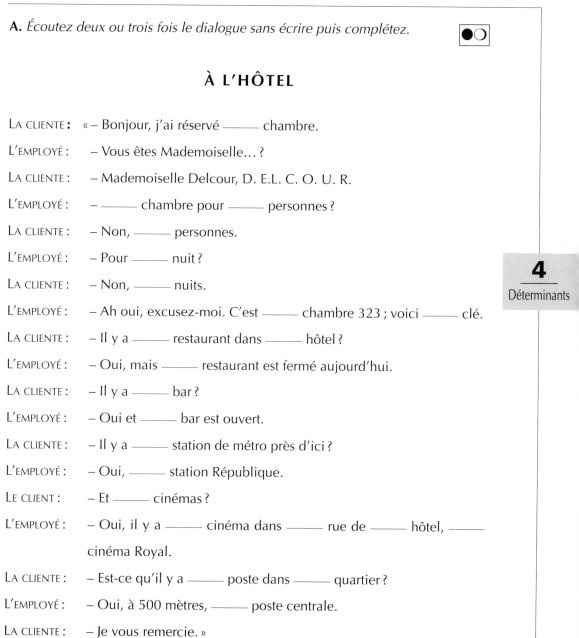

LA CLIENTE : « – Bonjour, j'ai réservé ______ chambre.

L'EMPLOYÉ : – Vous êtes Mademoiselle... ?

LA CLIENTE : – Mademoiselle Delcour, D. E.L. C. O. U. R.

L'EMPLOYÉ : – ______ chambre pour ______ personnes ?

LA CLIENTE : – Non, ______ personnes.

L'EMPLOYÉ : – Pour ______ nuit ?

LA CLIENTE : – Non, ______ nuits.

L'EMPLOYÉ : – Ah oui, excusez-moi. C'est ______ chambre 323 ; voici ______ clé.

LA CLIENTE : – Il y a ______ restaurant dans ______ hôtel ?

L'EMPLOYÉ : – Oui, mais ______ restaurant est fermé aujourd'hui.

LA CLIENTE : – Il y a ______ bar ?

L'EMPLOYÉ : – Oui et ______ bar est ouvert.

LA CLIENTE : – Il y a ______ station de métro près d'ici ?

L'EMPLOYÉ : – Oui, ______ station République.

LE CLIENT : – Et ______ cinémas ?

L'EMPLOYÉ : – Oui, il y a ______ cinéma dans ______ rue de ______ hôtel, ______ cinéma Royal.

LA CLIENTE : – Est-ce qu'il y a ______ poste dans ______ quartier ?

L'EMPLOYÉ : – Oui, à 500 mètres, ______ poste centrale.

LA CLIENTE : – Je vous remercie. »

B. *Un ou le ? une ou la ? des ou les ? Pourquoi ?*

4 Déterminants

VOUS ÊTES EN VOYAGE

DANS UNE VILLE, IL Y A

- une cathédrale gothique
- un musée d'art moderne
- une église romane
- des vieux quartiers
- un quartier très moderne
- un château du Moyen Âge
- un stade olympique
- une mosquée
- un jardin exotique
- des marchés
- des ruines romaines
- un parc zoologique
- une école modèle
- un théâtre baroque
- un centre nucléaire

QUE CHOISISSEZ-VOUS DE VISITER ?

- la cathédrale gothique ?
- le musée d'art moderne ?
- l'église romane ?
- les vieux quartiers ?
- ____ quartier très moderne ?
- ____ château du Moyen Âge ?
- ____ stade olympique ?
- ____ mosquée ?
- ____ jardin exotique ?
- ____ marchés ?
- ____ ruines romaines ?
- ____ parc zoologique ?
- ____ école modèle ?
- ____ théâtre baroque ?
- ____ centre nucléaire ?

Répondez, échangez.

- Je choisis de visiter…
  Je vais visiter…, je voudrais visiter…
  J'aime…, je n'aime pas…
  Je ne veux pas visiter…
  Je connais…, je ne connais pas…
- Le(s)… m'intéresse(nt)/le(s)… ne m'intéresse(nt) pas.

A. *Observez.*

VOUS NE CONNAISSEZ PAS
le... la... l'... les...

RENDEZ-VOUS
au... à la... à l'... aux... = **à** + le, la, l', les

POUR LA VISITE
du... de la... de l'... des... = **de** + le, la, l', les

B. *Complétez.*

☞ où ? quand ?, 240

Du ? de la ? de l' ? des ?

- 9 h 30 : Visite *des* halles.
- 9 h 45 : Visite *du* palais de justice.
- 11 h : Visite ______ cathédrale.
- 12 h : Déjeuner dans un restaurant ______ quartier.
- 13 h 30 : Visite ______ église Saint-Jean.
- 14 h 30 : Visite ______ château.
- 16 h : Visite ______ parc ______ château.
- 16 h 30 : Visite ______ musée d'Art moderne.
- de 18 h 30 à 19 h : Vous êtes libres.

Au ? à la ? à l' ? aux ?

- 19 h : Rendez-vous *au* grand café.
- 19 h 15 : Réception ______ mairie.
- 20 h 15 : Arrivée ______ théâtre (durée du spectacle : 2 h).
- 22 h 30 : Retour ______ hôtel.

C. *Mémorisez les différents lieux de visite et faites-en la liste oralement dans l'ordre ou le désordre.*

Demain, nous allons visiter

____

____

Demain, nous allons

____

____

Demain, nous courons

____

____

Complétez avec le, la, l' ou les.

Je cherche

• poste centrale	*Je cherche **la** poste centrale.*
• cinéma Royal	Je cherche ______
• préfecture	Je cherche ______

...s'il vous plaît ?

• hôtel Ritz	***L**'hôtel Ritz, s'il vous plaît ?*
• rue de Rivoli	______ ?
• Opéra	______ ?
• gare de l'Est	______ ?

Savez-vous où est... ?

• banque	*Savez-vous où est **la** Banque de France ?*
• église Saint-André	______ ?
• restaurant universitaire	______ ?
• bureau des renseignements	______ ?

Pour aller à... s'il vous plaît

• centre ville	*Pour aller **au** centre ville, s'il vous plaît ?*
• université	______ ?
• station de métro Bastille	______ ?
• Quartier Latin	______ ?

Conduisez-moi à... s'il vous plaît

• aéroport	*Conduisez-moi **à l**'aéroport s'il vous plaît.*
• ambassade	______
• centre ville	______
• hôpital	______

La direction de... s'il vous plaît

• campus	*La direction **du** campus universitaire, s'il vous plaît ?*
• plage	______ ?
• port	______ ?
• hôpitaux	______ ?

Il faut combien de temps pour aller de... à...

• campus-centre ville	*Il faut combien de temps pour aller du campus au centre ville ?*
• hôtel-gare	______ ?
• centre ville-aéroport	______ ?
• place de l'Opéra-Invalides	______ ?

A. *Observez les exemples, puis complétez le nom des ministères.*

La justice	*Le ministère* ***de la*** *Justice*
Les affaires étrangères	*Le ministère* ***des*** *Affaires étrangères*
L'économie	*Le ministère* ***de l'****Économie*
Le travail et **l'**emploi	*Le ministère* ***du*** *Travail et* ***de l'****Emploi*
La santé	______________________
L'éducation nationale	______________________
Les universités	______________________
L'agriculture	______________________
La culture et les sports	______________________
L'équipement et les transports	______________________
Les finances	______________________
L'industrie et le commerce	______________________
L'environnement	______________________
La défense	______________________
L'intérieur	______________________

B. *Imaginez quelques ministères nouveaux.*

Le ministère de l'Intelligence, le ministère de la Fête, ______________________

____

____

C. *Faites votre choix : vous devenez ministre ! ministre de quoi ?*

Je voudrais être ministre de ______________________

____

____

D. *Chaque ministre reçoit un cadeau de son choix pour son arrivée au gouvernement ? Que demandez-vous ?*

Le ministre des Transports : « Je voudrais une voiture verte. »
Le ministre de l'Intérieur : « J'aimerais avoir un chien de garde. »

____

____

____

☞ conditionnel, 117

A. *Quels mots vous inspirent les couleurs suivantes ? Remplissez le tableau seul ou en groupe.*

	M. SINGULIER	F. SINGULIER	M/F + VOYELLE	PLURIEL
le rouge	*le sang*	______	______	______
le bleu		*la mer*	______	______
le jaune	______	______	______	______
le blanc	______	______	*l'air*	______
le noir	______	______	______	______
le gris	______	______	______	______
le vert	______	______	______	*les plantes*

B. *Complétez les questions puis enquêtez ou échangez. Notez les réponses obtenues.*

QUELLE EST POUR VOUS...

- la couleur de la terre ? de l'eau ?
- la couleur ______ feu ? ______ air ?
- la couleur ______ nuit ? ______ matin ?
- la couleur ______ printemps ? ______ hiver ?
- la couleur ______ naissance ? ______ mort ?
- la couleur ______ bonheur ? ______ malheur ?
- la couleur ______ violence ? ______ douceur ?
- la couleur ______ amour ?

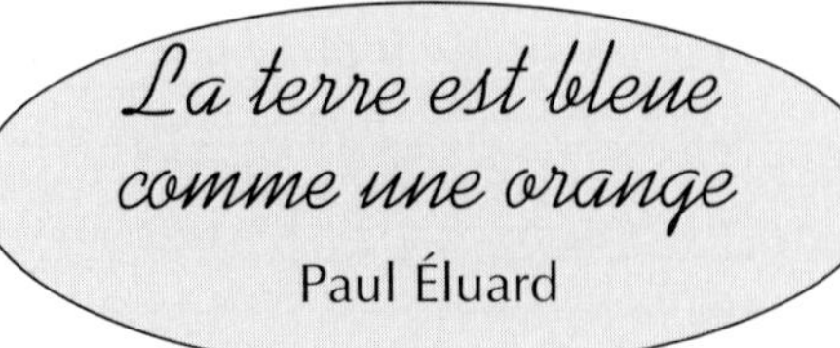

La terre est bleue
comme une orange
Paul Éluard

A. *Complétez les questionnaires et échangez.*

1. **À QUOI VOUS INTÉRESSEZ-VOUS ?**

à tout ? à rien ? à certaines choses ? lesquelles ?

au sport ? au cinéma ? __________

à la politique ? __________

à l'astrologie ? __________

aux idées ? aux autres ? __________

2. **DE QUOI AVEZ-VOUS PEUR ?**

de tout ? de rien ? de certaines choses ? de certaines personnes ? de qui ? de quoi ? __________

du noir ? du diable ? __________

de la tempête ? __________

de l'électricité ? __________

des serpents ? des araignées ? __________

de vieillir ? __________

3. **QU'EST-CE QUE VOUS DÉTESTEZ ?**

rien ? tout ? certaines choses ? lesquelles ? __________

le fromage ? le froid ? __________

la solitude ? __________

l'alcool ? __________

les exercices de grammaire ? __________

B. *Complétez librement.*

Je m'intéresse beaucoup __________

Je m'intéresse un peu __________

Je ne m'intéresse pas du tout __________

Je déteste vraiment __________

J'adore __________

J'ai souvent peur __________

Je n'ai jamais peur __________

Voici quelques titres complets de romans.

Le chemin de la faim, G. AMADO
Le chemin des écoliers, M. AYMÉ
Les chemins du grand voyage, A. D'HOTEL
La ferme des animaux, G. ORWELL
Le livre de la Jungle, R. KIPLING
La guerre de la fin du monde, VARGAS LLOSA

Complétez librement les titres qui suivent, puis écoutez et notez les véritables titres donnés par les écrivains français à leurs œuvres.

La femme du ______	GIONO	______
L'enfant de la ______	SUPERVIELLE	______
Les filles du ______	NERVAL	______
Les invités du ______	SALACROU	______
Les démons du ______	MONTHERLANT	______
Les caves du ______	GIDE	______
Le jardin des ______	MIRBEAU	______
Les tiroirs de l' ______	AYMÉ	______
Le bal des ______	ANOUILH	______
Les choses de la ______	GUIMARD	______
Le chant du ______	GIONO	______
Le quai des ______	MAC ORLAN	______
La passion des ______	JAPRISOT	______
L'héritage du ______	FREUSTIER	______
Le retour de l' ______	GIDE	______
La recherche de l' ______	BALZAC	______
Les crimes de l' ______	SADE	______

Comparez vos titres. Quel est le plus beau titre, le plus original, le plus poétique, le plus amusant, le plus philosophique ?

☞ superlatif, 195

Un(e), des/du, de la, de l' ➤➤ *Discrimination/observation*

Écoutez et complétez. Soulignez les marques du pluriel.
Puis remplissez le tableau.

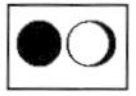

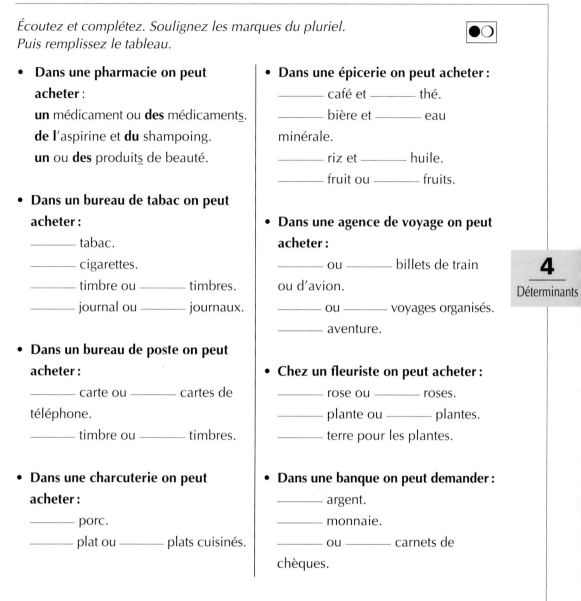

- **Dans une pharmacie on peut acheter** :
  un médicament ou **des** médicaments.
  de l'aspirine et **du** shampoing.
  un ou **des** produits de beauté.

- **Dans un bureau de tabac on peut acheter :**
  ______ tabac.
  ______ cigarettes.
  ______ timbre ou ______ timbres.
  ______ journal ou ______ journaux.

- **Dans un bureau de poste on peut acheter :**
  ______ carte ou ______ cartes de téléphone.
  ______ timbre ou ______ timbres.

- **Dans une charcuterie on peut acheter :**
  ______ porc.
  ______ plat ou ______ plats cuisinés.

- **Dans une épicerie on peut acheter :**
  ______ café et ______ thé.
  ______ bière et ______ eau minérale.
  ______ riz et ______ huile.
  ______ fruit ou ______ fruits.

- **Dans une agence de voyage on peut acheter :**
  ______ ou ______ billets de train ou d'avion.
  ______ ou ______ voyages organisés.
  ______ aventure.

- **Chez un fleuriste on peut acheter :**
  ______ rose ou ______ roses.
  ______ plante ou ______ plantes.
  ______ terre pour les plantes.

- **Dans une banque on peut demander :**
  ______ argent.
  ______ monnaie.
  ______ ou ______ carnets de chèques.

ÉLÉMENTS COMPTABLES			ÉLÉMENTS NON COMPTABLES		
UN	UN	2, 3, 4... DES	DU	DE LA	DE L'
______	______	______	______	______	______
______	______	______	______	______	______
______	______	______	______	______	______
______	______	______	______	______	______
______	______	______	______	______	______
______	______	______	______	______	______

4 Déterminants

Dites le contraire comme dans l'exemple.

Caractère 1	**Caractère 2**
Il a du courage.	*Il n'a pas de courage.*
Il a beaucoup d'énergie.	*Il n'a pas beaucoup d'énergie.*
Il n'a pas d'imagination.	*Il a de l'imagination.*
Il n'a pas beaucoup d'humour.	*Il a beaucoup d'humour.*
Il a de la patience.	*Il n'a pas de patience.*

Chance	**Malchance**
Elle a de la chance.	*Elle n'a pas de chance.*
Elle a un travail.	______________________
Elle a un logement.	______________________
Elle a une famille.	______________________
Elle a des amis.	______________________
Elle n'a pas beaucoup de problèmes.	______________________

Grande ville	**Petite ville**
Il y a beaucoup de circulation.	______________________
Il y a beaucoup de pollution.	______________________
Il y a beaucoup de cinémas.	______________________
Il y a beaucoup d'animation.	______________________

Vacances agitées	**Vacances calmes**
Il y a beaucoup de touristes.	______________________
Il y a peu d'endroits calmes.	______________________
Il y a beaucoup d'hôtels.	______________________

A. *Observez.*

QUANTITÉ INDÉTERMINÉE	QUANTITÉ OU FORME PRÉCISÉE	QUANTITÉ ZÉRO
du vin	une bouteille **de** vin	pas **de** vin
de l'essence	20 litres **d'**essence	pas **d'**essence
de la viande	6 tranches **de** viande	pas **de** viande
des oranges	3 kilos **d'**orange	pas **d'**oranges
des fleurs	un bouquet **de** fleurs	pas **de** fleurs
des timbres	un carnet **de** timbres	pas **de** timbre
du travail	une journée **de** travail	pas **de** travail

B. *Complétez librement.*

une goutte ______ un morceau ______ une pincée ______
un verre ______ un litre ______ une tranche ______
un sac ______ un tube ______ une tablette ______
une cuillerée ______ un bouquet ______ un flacon ______
une boîte ______ un paquet ______ un plat ______

C. *Complétez.*

• **DANS UNE STATION-SERVICE**

– Je voudrais ______ essence ordinaire.
– Nous n'avons ______ essence ordinaire.
– Alors, ______ super, 15 litres ______ super.

• **DANS UN RESTAURANT**

– Vous prenez un dessert ?
– Non merci, ______ dessert.
– Un café ?
– Non, ______ café, merci.

• **DANS UN CAFÉ**

– Je voudrais une bouteille ______ eau.
– ______ eau gazeuse ou non gazeuse ?
– Gazeuse.
– Avec ______ glace ?
– Non merci, pas ______ glace.

• **DANS UN BUREAU DE TABAC**

– Je voudrais une cigarette.
– ______ cigarette ? ce n'est pas possible ! un paquet ______ 10, si vous voulez !
– D'accord.

• **DANS UN BUREAU**

– Pas ______ fax, mademoiselle ?
– ______ fax, oui, plusieurs, mais pas ______ fax urgents !
– Pas ______ coups de téléphone ?
– ______ appels mais pas ______ appels urgents.
– Parfait !

☞ combien, 212B
conditionnel, 117

A. *Complétez.*

CERTAINES PERSONNES	D'AUTRES PERSONNES
ont de la mémoire	n'ont pas de mémoire
ont de l'imagination	n'ont pas d'imagination
ont du courage	n'ont pas de courage
__________ patience	__________ patience
__________ humour	__________ humour
__________ volonté	__________ volonté
__________ autorité	__________ autorité
__________ charme	__________ charme
__________ éducation	__________ éducation
__________ instruction	__________ instruction
__________ tact	__________ tact
__________ fantaisie	__________ fantaisie
__________ génie	__________ génie
__________ goût	__________ goût
__________ assurance	__________ assurance

B. *À votre avis que faut-il dans les professions ou fonctions suivantes ?*

Il faut
- du…, de la…, de l'…
- un peu de…, un peu d'…
- beaucoup de…, beaucoup d'…

Pour être acteur ou actrice, il faut ______________________________

Pour être pilote automobile, il faut ______________________________

Pour être professeur, il faut ______________________________

Pour être avocat(e), il faut ______________________________

Pour être médecin, ______________________________

Pour être clown, ______________________________

Pour être homme ou femme d'affaires, ______________________________

Pour être militaire, ______________________________

Complétez oralement, par écrit.

DANS UNE STATION-SERVICE

– Le plein s'il vous plaît. ________
– ________ super, ________ gas-oil ou ________ essence sans plomb ? ________
– ________ super. ________

DANS UN RESTAURANT

– Je voudrais ________ porc avec ________ frites. ________
– Et comme boisson ? ________
– ________ bière. ________
– Vous avez ________ cigarettes ? ________
– Ah non ! je regrette, monsieur, nous n'avons pas ________ cigarettes. ________

DEVANT UNE CONSIGNE AUTOMATIQUE

– Vous avez ________ monnaie ? ________
– Oui, vous avez ________ chance. ________

DANS UNE PHARMACIE

– Je voudrais un tube ________ aspirine. ________
– Je vous donne ________ aspirine vitaminée ? ________
– Oui, et ________ bouteille ________ alcool à 90°. ________

À LA BANQUE

– Je voudrais ________ carnet ________ chèques et ________ travellers chèques. ________
– Un moment, s'il vous plaît. ________

CHEZ LE FLEURISTE

– Je voudrais ________ rose. ________
– ________ seule rose ? ________
– Oui, ________ seule rose rouge. ________

DANS UNE ÉPICERIE

– ________ paquet ________ café et ________ bouteille ________ huile de tournesol. ________
– Je n'ai plus ________ huile de tournesol, ________ bouteille ________ huile d'arachide ? ________
– Non merci. ________
– C'est tout ? ________
– Oui. Je suis désolée, je n'ai pas ________ monnaie. ________

A. *Cochez ce qui est vrai pour vous.*

❒ Je **n**'achète **aucun (= 0)** livre.
❒ J'achète **un** ou **deux** livres par an.
❒ j'achète **quelques** livres par an.
❒ J'achète **plusieurs** livres par an.

❒ Je **ne** connais **aucun** film français.
❒ Je connais **un** ou **deux** films français.
❒ Je connais **quelques** films français.
❒ Je connais **plusieurs** films français.

❒ Je **ne** connais **personne** ici.
❒ Je connais **une** ou **deux** personnes.
❒ Je connais **quelques** personnes.
❒ Je connais **plusieurs** personnes.
❒ Je connais **tout le monde**.

❒ Je **n**'ai **aucun** ami étranger.
❒ J'ai **un** ou **deux** amis étrangers.
❒ J'ai **quelques** amis étrangers.
❒ J'ai **plusieurs** amis étrangers.

B. *Posez-vous les questions suivantes et répondez-y.*

Vous parlez beaucoup de langues étrangères ?

___

Vous avez visité plusieurs pays étrangers ?

___

Vous avez beaucoup de projets d'avenir ?

___

Vous avez plusieurs paires de chaussures de sport ?

___

Vous avez parlé à combien d'hommes politiques dans votre vie ?

___

Vous avez des problèmes concrets à régler aujourd'hui ?

___

Vous avez beaucoup de billets et de pièces dans votre porte-monnaie ?

___

Vous avez de nombreux amis ? de nombreuses relations ?

___

Pour exprimer la totalité :

Tout le monde *Toute la classe*
Tous les étudiants *Toutes les étudiantes*

☞ aucun, 222
en, 170

A. *Complétez.*

IL FAUT DE TOUT POUR FAIRE UN MONDE

un ______

une ______

des ______

du ______

de la ______

de ______

un peu de ______

beaucoup de ______

pas trop de ______

quelques ______

plusieurs ______

B. *Imaginez d'autres définitions sous forme d'additions.*

\+ des fenêtres
un toit
des portes
des murs
______
UNE MAISON

\+ des billets
un peu d'argent
une valise
de l'aventure
______
UN VOYAGE

\+ ______
______
______
______
______
UNE VILLE

\+ ______
______
______
______
______
UN BON ACTEUR

\+ ______
______
______
______
______
UN JOURNAL

\+ ______
______
______
______
______
UNE ENTREPRISE

\+ ______
______
______
______
______
UNE VIE

\+ ______
______
______
______
______
UN JARDIN PUBLIC

Possessifs

Mon grand-père s'appelait Homère
et ma grand-mère Sévère
Mon cher père s'appelle Robert
et ma mère s'appelle Esther
Mon fils, lui, s'appelle Clovis
et ma fille s'appelle Camille .
Voulez-vous savoir pourquoi
mon nom à moi
c'est Eloi

4
Déterminants

Mon, ma, mes ➤➤ *Discrimination/tableau*

A. *Écoutez et complétez. Notez les liaisons par le signe ‿ .*

Pour Noël

- *Mon* père m'a acheté une voiture téléguidée,
- *ma* mère un garage,
- *mon* frère un camion,
- *ma* grand-mère un ballon,
- et *mon*‿arrière-grand-mère une trompette.

Pour ______ anniversaire

- ______ petit ami m'a offert un collier,
- ______ sœurs m'ont offert un pull,
- ______ amies du parfum,
- ______ oncle un voyage,
- et ______ parents un stylo et un dictionnaire.

Pour ______ 40 ans

- ______ amis m'ont offert un tableau,
- ______ enfants m'ont offert une montre,
- ______ associé une serviette en cuir,
- ______ associée une écharpe, et
- ______ femme, une semaine de vacances.

Pour ______ départ à la retraite

- ______ élèves m'ont offert un chat,
- ______ collègues un appareil photo,
- ______ ancienne directrice m'a offert un livre et ______ nouvelle directrice aussi.

B. *Complétez le tableau.*

	SINGULIER		PLURIEL
	MASCULIN	FÉMININ	MASCULIN / FÉMININ
POSSESSIF DEVANT CONSONNE	mon père ______ ______ ______ ______	ma mère ______ ______ ______ ______	mes collègues ______ ______ ______ ______
POSSESSIF DEVANT VOYELLE	mon‿oncle ______ ______ ______ ______	mon‿arrière-grand-mère ______ ______ ______ ______	mes‿amis ______ ______ ______ ______

Remarquez :

Ma grand-mère et **mon** arrière-grand-mère
Ma nouvelle directrice et **mon** ancienne directrice

A. *Complétez puis formulez les mêmes ordres au pluriel.*

1. Range *ta* chambre !	Rangez *votre* chambre/*vos* chambres !
2. Va faire *ton* travail !	Allez faire *votre* travail !
3. Ramasse *tes* jouets !	Ramassez *vos* jouets !
4. Prépare ______ affaires !	______
5. Fais ______ lit !	______
6. Va apprendre ______ leçons !	______
7. Va aider ______ mère !	______
8. Parle poliment à ______ père !	______
9. Laisse ______ frère tranquille !	______
10. Ne te dispute pas avec ______ sœur !	______
11. Obéis à ______ mère !	______
12. Sois gentil avec ______ grand-mère !	______

Lesquels de ces ordres avez-vous entendus ou formulés le plus souvent ?

B. *Terminez la rédaction de l'enquête puis enquêtez. Notez les liaisons et les enchaînements par le signe ‿ .*

ÉTUDES	Êtes-vous satisfait(e) de vos études ?
l'université/l'école	de ______ ?
les professeurs	de ______ ?
les cours	de ______ ?
les horaires	de ______ ?
VIE PROFESSIONNELLE	Êtes-vous satisfait(e) de votre vie professionnelle ?
le travail	de ______ ?
les relations de travail	de ______ ?
le rythme de travail	de ______ ?
le salaire/les revenus	de ______ ?
le lieu de travail	de ______ ?
VIE SOCIALE	Êtes-vous satisfait(e) de votre vie sociale ?
les ami(e)s	de ______ ?
les relations	de ______ ?
les sorties	de ______ ?
les rencontres	de ______ ?
VOUS	Êtes-vous satisfait(e) de vous ?
la taille	de ______ ?
la couleur des cheveux	de ______ ?
la couleur des yeux	de ______ ?
le caractère	de ______ ?
la santé	de ______ ?

C. *Échangez à deux. Trouvez-vous des points communs.*

Nous sommes satisfait(e)s de notre/nos ______

Nous ne sommes pas satisfait(e)s de notre/nos ______

A. *Complétez avec la forme possessive correcte. Notez les liaisons et les enchaînements par le signe ‿ .*

CONNAISSEZ-VOUS VOTRE PROFESSEUR ?

ses goûts
son pays
son enfance
_______ habitudes
_______ famille
_______ projets
_______ études
_______ façon de vivre
_______ idées politiques
_______ âge
_______ loisirs
_______ milieu social

CONNAISSEZ-VOUS LES AUTRES ÉLÈVES DE LA CLASSE ?

leur vie
leur pays
leur enfance
_______ habitudes
_______ famille
_______ projets
_______ études
_______ façon de vivre
_______ idées politiques
_______ âge
_______ loisirs
_______ milieu social

B. *Complétez.*

J'ai rencontré mes voisins de dessus et _______ chien.
ma voisine du dessous et _______ petit ami.
mes voisins d'en face et _______ trois petits enfants.
mes voisins de gauche et _______ mère.
mon voisin de droite et _______ secrétaire.

TABLEAU RÉCAPITULATIF DES ADJECTIFS POSSESSIFS

	MASCULIN SINGULIER		FEMININ SINGULIER		PLURIEL (M et F)	
	CONSONNE	VOYELLE	CONSONNE	VOYELLE	CONSONNE	VOYELLE
à moi	mon	mon	ma	mon	mes	mes
à toi	ton	ton	ta	ton	tes	tes
à lui/elle	son	son	sa	son	ses	ses
à nous	notre	notre	notre	notre	nos	nos
à vous	votre	votre	votre	votre	vos	vos
à eux/elles	leur	leur	leur	leur	leurs	leurs

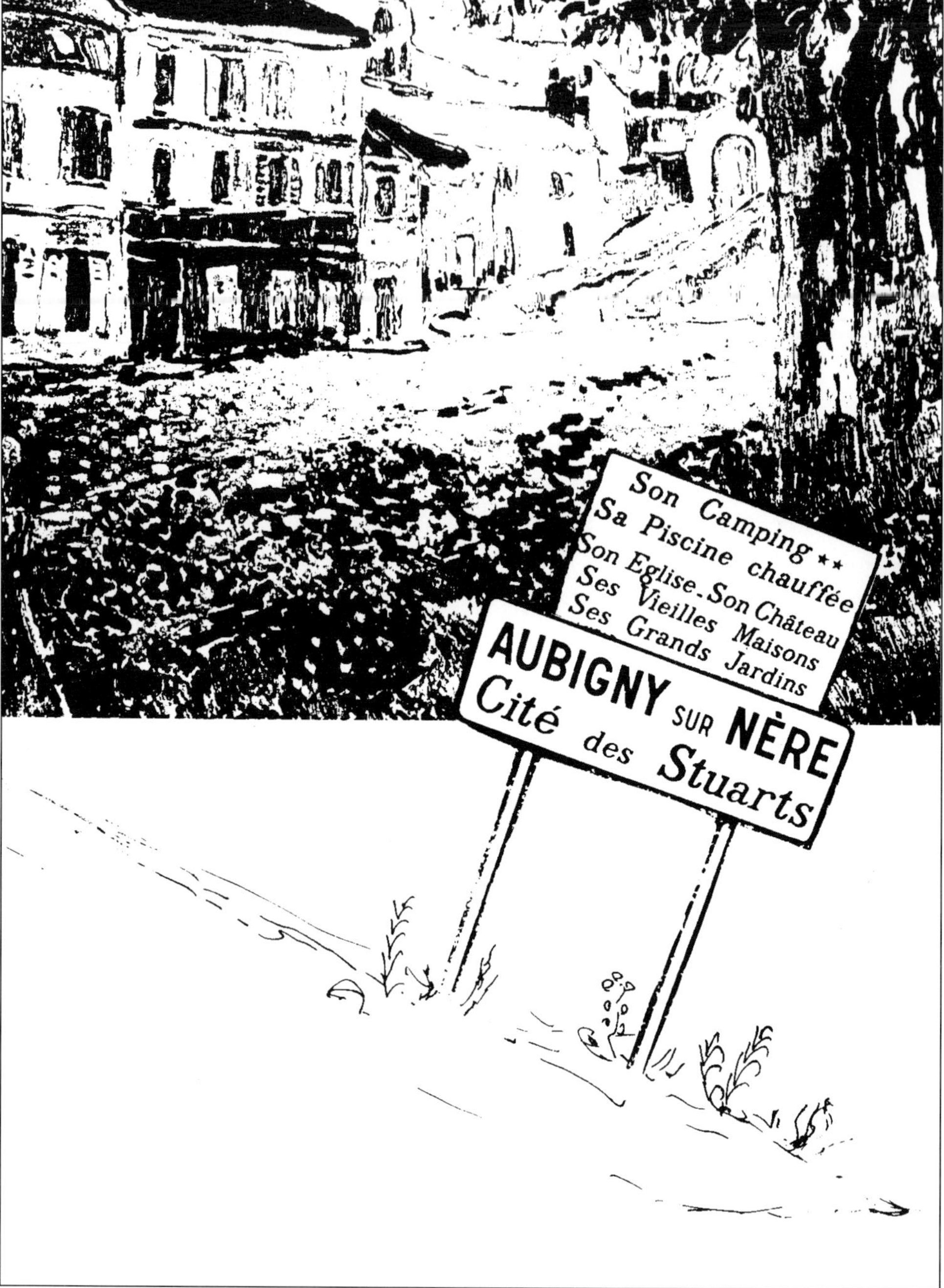

Imaginez des affiches publicitaires pour :

- *votre village, votre ville, votre région, votre pays, votre continent ou la planète terre ;*
- *votre école ou votre université ;*
- *un hôtel, un restaurant, un camping, ou tout autre lieu de votre choix.*

Complétez avec la forme juste.

On m'a volé mon sac avec

______ argent,
______ carnet de chèques,
______ clés,
______ carte d'étudiant,
______ carte d'identité,
et ______ passeport.

Tu as tout oublié chez moi

______ parapluie,
______ portefeuille,
______ montre,
______ appareil photo,
______ chaussures de tennis,
et ______ raquette de tennis.

Elle ne vit pas seule, elle vit avec

______ père,
______ mère,
______ grands-parents,
______ sœur,
et ______ deux chats.

Ils ont tout quitté

______ famille,
______ amis,
______ maison,
______ pays,
et ______ habitudes.

Police ! Montrez-moi

______ permis de conduire,
______ papiers d'identité,
______ carte grise,
et ______ attestation d'assurance.

Venez ! Nous allons vous présenter

à ______ amis,
à ______ famille,
à ______ voisins,
et à ______ connaissances.

Chacun de nous a

______ histoire,
______ caractère,
______ rêves,
______ opinions,
et ______ façon d'être.

Reprenez chaque paragraphe de mémoire.

A. *Écoutez et complétez.*

DÉSORDRE

À qui est ______ écharpe ?
À qui sont ______ chaussures de sport ?
À qui sont ______ gants ?
À qui est ______ anorak ?
À qui est ______ pull ?
À qui est ______ veste ?
À qui est ______ argent ?

VOUS CONNAISSEZ CES GENS ?

Qui est ______ jeune fille ?
et ______ jeune garçon ?
et ______ femme en vert ?
et ______ homme en gris ?
et ______ bel homme ?
et ______ enfant blond ?
et ______ très jeune enfant ?
et ______ deux adolescentes ?

B. *Complétez.*

1. Oh, là là ! elle est lourde ______ valise !
2. Attention ! il est méchant ______ chien !
3. Merci ! ils sont magnifiques ______ timbres !
4. Merci beaucoup ! Elles sont splendides ______ fleurs !
5. Impossible ! il n'est pas commode ______ horaire !
6. Pfff ! il est difficile ______ test.
7. Zéro, elle est nulle ______ émission !
8. Ils sont faciles ______ exercices !
9. Mmm ! il sent très bon ______ parfum !
10. Parfait ! elles sont excellentes ______ idées !

☞ expression du temps, 239

MASCULIN SINGULIER		FEMININ SINGULIER		PLURIEL (M et F)	
+ CONSONNE	+ VOYELLE	+ CONSONNE	+ VOYELLE	+ CONSONNE	+ VOYELLE
ce	cet‿	cette	cette‿	ces	ces‿

C. *Dictée.*

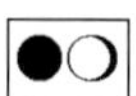

D. *Écoutez le poème.*

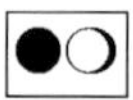

A. *Lisez les cartes postales ci-dessous. Soulignez les noms propres (Kenya/Rome) et leurs reprises (ce pays/cette ville).*

Je suis au Kenya
ce pays est magnifique !
Nous sommes à Rome
Nous adorons cette ville !
Et les Romaines !!!
J'ai visité Pompéi. Tu sais,
cette cité enfouie sous
les cendres du Vésuve.
Impressionnant !
Himalaya ! Himalaya !
Mon rêve depuis toujours
cette chaîne ! J'y suis.
La Volga, le Danube...
Je les connais enfin
ces fleuves !
Je te raconterai.
Nous voilà en Bretagne.
Cette région est très
attachante. Un peu
humide aussi.
On traverse le Sahara.
Ce désert est magnifique
... et désert.
En route pour l'Asie.
Je ne connais pas
ce continent.
Tu ne connais sans doute
pas Sixt. Ce petit
village savoyard est
charmant sous la neige.
On skie, on mange et on dort.

B. *Imaginez d'autres cartes postales sur le même principe*

Lexique pour vous aider

un lieu, un endroit • un village, une ville, une capitale, un port • une région, une province, un État , un pays, un continent • une chaîne de montagne, un sommet, un volcan • un lac, une rivière, un fleuve • une côte, une île, un archipel, une baie • une plaine, un désert

4 Déterminants

A. *Complétez.*

DANS UNE SOIRÉE

– Je ne connais pas ______ gens. Qui est ______ personne ?
– Je ne sais pas. Je connais seulement ______ homme en noir et ______ femme près de la porte.

AU MUSÉE

– Il est superbe ______ tableau !
– ______ tableau ? Tu aimes ?

DEVANT UN RESTAURANT

– Mmm, ça sent bon !
– Oui, il est excellent ______ restaurant .

DEVANT UNE CABINE TÉLÉPHONIQUE

– Elle marche, la cabine ?
– ______ cabine ne marche jamais.

À UN ARRÊT DE BUS

– Le bus 22 est en retard.
– Il est toujours en retard, ______
bus.

DANS UNE LIBRAIRIE

– Tu connais ______ auteur ?
– Oui, mais pas ______ roman.

À LA MAISON

– Oh, ______ musique ! ______ bruit !
– Elle est super ______ musique !

DANS LA RUE

– Qu'est-ce que c'est que ______ foule ?
– Une manifestation, je crois.

DANS UN MAGASIN

Un policier entre et montre une voiture dans la rue.
« Elle est à qui ______ voiture ? »

AU RESTAURANT

– Alors, ______ addition, elle vient ?
– Tout de suite, tout de suite.

DANS L'AVION

– Et alors ______ avion, il décolle oui ou non ?
– Dans dix minutes, monsieur.

B. *Formulez des questions comme dans l'exemple.*

QU'EST-CE QUI SE PASSE ?

la porte est ouverte → « *Pourquoi* ***cette*** *porte est-elle ouverte ?* »
il y a **du** désordre dans **la** pièce → « *Qu'est-ce que c'est que* ***ce*** *désordre dans* ***cette*** *pièce ?* »
il y a du désordre sur un bureau → « Pourquoi...
deux téléphones sont décrochés → « Pourquoi...
plusieurs tiroirs sont ouverts → « Pourquoi...
une chaise est renversée → « Pourquoi...
il y a une odeur bizarre → « Qu'est-ce que c'est que...
il y a des traces sur la moquette → « Qu'est ce que c'est que...

Les pronoms

Quand tu dors

Toi tu dors la nuit
moi j'ai de l'insomnie
je te vois dormir
ça me fait souffrir [...]

Toi tu rêves la nuit
moi j'ai des insomnies
je te vois rêver
ça me fait pleurer [...]

J. Prévert, Extrait de *Histoires*, © Gallimard

5
Pronoms

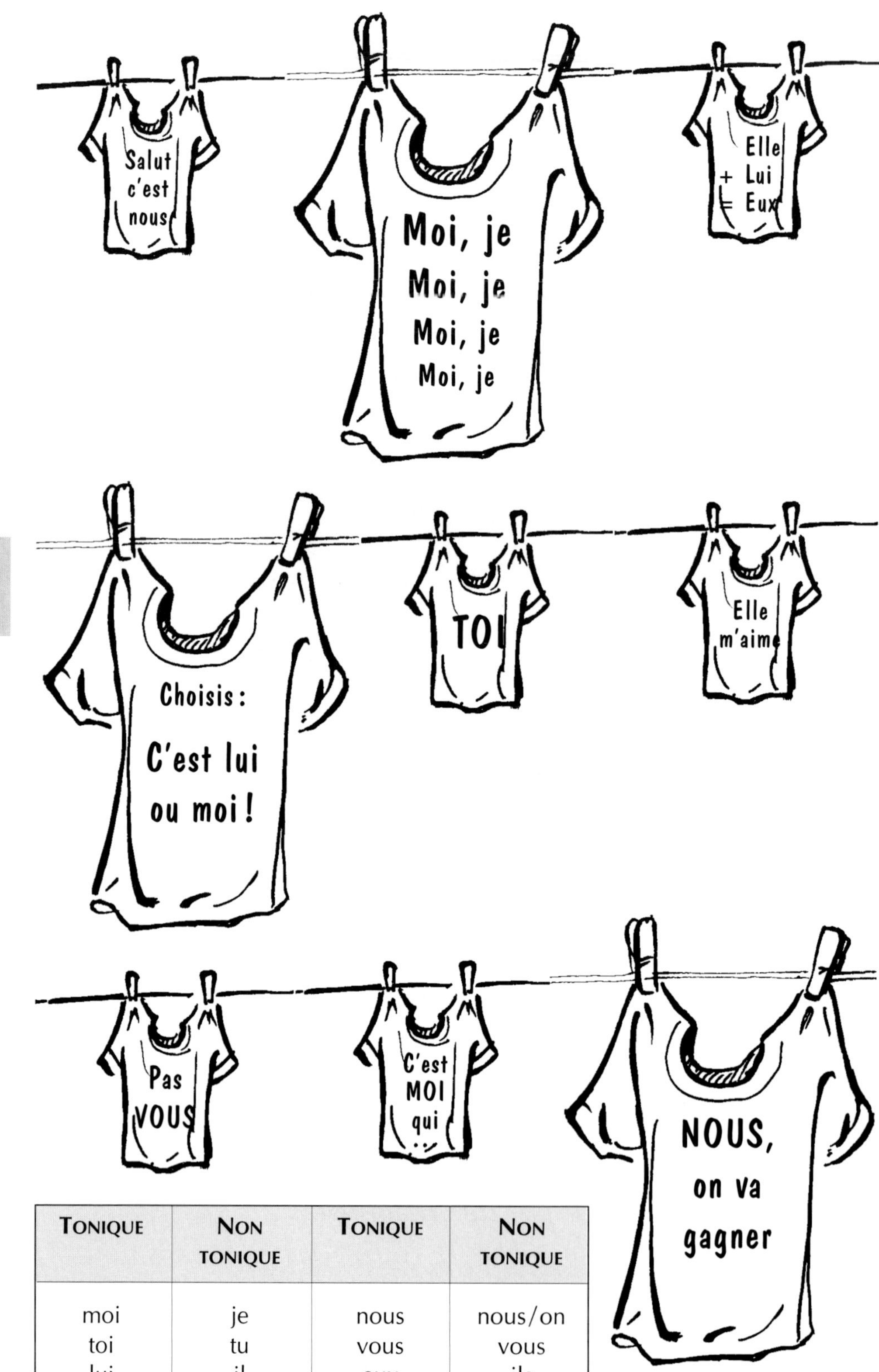

Tonique	Non tonique	Tonique	Non tonique
moi toi lui elle	je tu il elle	nous vous eux elles	nous/on vous ils elles

Préposition + moi, toi, lui... ➤➤ *Observation/entraînement*

A. *Lisez les dialogues à deux. Soulignez les prépositions et les pronoms qui les suivent.*

1.
– Voilà un cadeau !
– C'est pour qui ?
– C'est pour toi.
– C'est pour moi. Merci.

2.
– Jules et Jim partent.
– Je pars avec eux.
– Moi, je reste encore.
– Non, viens avec nous.

3.
– On téléphone à Michel !
– Il n'est pas chez lui.
– Et Anne, elle est chez elle ?
– Je ne sais pas.

4.
– Mademoiselle ?
– Il est à vous ce chien ?
– Non, il n'est pas à moi.
– Ah ! excusez-moi.

5.
– On commence ?
– Les filles ne sont pas là !
– Commençons sans elles.
– Oh ! non, pas sans elles.

6.
– Qui est-ce, là-bas ?
– C'est le directeur.
– Et à côté de lui, c'est qui ?
– C'est sa femme.

B. *Complétez avec le pronom qui convient.*

– Je connais bien Georges, je travaille avec ______ .
– C'est l'anniversaire de Barbara, j'ai un cadeau pour ______ .
– Ils ne sont pas là, ils restent chez ______ .
– Si tu sors, je vais avec ______ .
– Ils sont en retard, partons sans ______ .
– Où est Jacques ? Il y a un coup de téléphone pour ______ .
– Chacun pour ______ et Dieu pour tous (proverbe).
– Je peux m'asseoir à côté de ______ ? Tu permets ?

à avec chez sans pour à côté de	moi, toi, soi nous, vous lui, elle eux, elles

A. *Écoutez, lisez et observez la prononciation (lettres ou mots non prononcés, liaisons).*

1. – Vous me comprenez ?
   – Non.
   – Vous ne me comprenez pas ?
   – Non, je ne vous comprends pas.

2. – Tu m'aimes ?
   – Mais oui, je t'aime.
   – Tu m'aimes vraiment ?
   – Je te dis et je te répète que je t'aime.

3. – Je ne te fatigue pas ?
   – Si, tu me fatigues.

4. – Tu me pardonnes ?
   – Bon, je te pardonne.

5. – Nous te félicitons.
   – Je vous remercie, c'est gentil.

6. – Tu me crois ou non ?
   – Je te crois.

7. – Pourquoi tu ne m'as pas téléphoné ?
   – Tu ne me l'as pas demandé !

8. – Vous ne m'avez pas commandé un café !
   – Si, si, il arrive.

9. – Nous ne vous avons pas remercié.
   – Si, votre femme m'a remercié.

10. – Je vous ai posé une question !
    – Je ne vous ai pas répondu, mais je vais le faire.

11. – On ne pourrait pas se tutoyer ?
    – Bien sûr, on peut se tutoyer.

12. – Je peux te poser une question ?
    – Vas-y, je t'en prie.

13. – On ne peut pas vous aider ?
    – Malheureusement non !

14. – Vous pouvez m'indiquer le chemin ?
    – Venez, je vais vous accompagner.

B. *Notez les phrases dans le tableau. Observez la place des pronoms.*

	STRUCTURE AFFIRMATIVE	STRUCTURE NÉGATIVE
Temps simples	*Je vous comprends*	*Je ne vous comprends pas*
Temps composés	*Vous ne m'avez pas commandé un café*	*Tu ne m'as pas téléphoné*
Verbe + infinitf	*On peut se tutoyer*	*On ne pourrait pas se tutoyer*

C. *Complétez la deuxième réplique en réutilisant le même verbe.*

Exemple :
Je vous dérange peut-être ?
– Non, **vous**... *Non,* ***vous*** *ne* ***me*** *dérangez pas.*

1. – Vous ne me reconnaissez pas ?
– Non, je suis désolé(e) je... ____________________

2. – Tu m'attends ?
– Non, je... ____________________
– Tu me rejoins ?
– D'accord, je... ____________________

3. – Je suis sûr que vous ne me croyez pas.
– Vous avez raison, on... ____________________

4. – Je ne t'ennuie pas ?
– Pas du tout, tu... ____________________

5. – Ça t'intéresse ?
– Non, ça... ____________________

6. – Je vous ai fait mal ?
– Non non, vous... ____________________

7. – On s'est déjà rencontrés ?
– Non, jamais, on... ____________________

8. – Je t'ai remboursé tes 200 francs ?
– Eh non, tu... ____________________

9. – Nous vous avons mal conseillé ?
– Non, vous... ____________________

10. – Tu peux me raconter ?
– Malheureusement non, je... ____________________

11. – Vous allez nous laisser seuls ?
– Mais non, on... ____________________

12. – Je ne peux pas vous aider ?
– Mais si, vous... ____________________

D. *Lisez, répétez et retrouvez de mémoire.*

- Je t'ai dérangé(e) trois fois, mais c'est fini, je ne te dérange plus, je ne vais plus te déranger.
- On ne se dit rien, on ne s'est jamais rien dit, on ne veut rien se dire.
- Je ne t'ai jamais quitté(e) et je ne te quitterai jamais, je ne peux pas te quitter.
- Elle ne m'a jamais tutoyé(e), elle ne me tutoie pas, elle ne veut pas me tutoyer.

Ils s'aiment

Complétez oralement puis par écrit.

Bonne entente

Tu m'invites, je *t'invite, nous nous invitons.*
Tu me rends des services, je ______
Tu m'aimes bien, je ______
Tu me connais bien, je ______
Tu me fais rire, je ______
Nous nous entendons bien !

Entente orageuse

Tu l'agaces, il *t'agace, vous vous agacez souvent.*
Tu le critiques, il ______
Tu le contredis, il ______
mais
Vous vous aimez bien !

Mésentente

☞ le, lui, 160, 161

Il ne lui parle pas, elle *ne lui parle pas, ils ne se parlent pas.*
Il ne la salue pas, elle ______
Il la fuit, elle ______
Il l'exaspère, elle ______
Il ne la supporte pas, elle ______
Il la déteste, elle ______
Ils ne s'entendent pas du tout !

Entraînez-vous à l'oral puis écrivez les verbes.

●○

1. – On (*se retéléphoner*) ? *on se retéléphone*
   – D'accord, on (*se rappeler*) quand ? *on se rappelle*

2. – On (*se donner*) rendez-vous où ? ______
   – On (*se retrouver*) chez toi. ______

3. – On (*se revoir*) quand ? cette semaine ? ______
   – Non, on ne (*se revoir*) plus cette semaine. ______

4. – On ne (*se quitter*) plus ? ______
   – On ne (*se quitter*) plus. ______

5. – On (*s'accorder*) une pause ? ______
   – Oui, on (*se donner*) un quart d'heure ? ______

6. – On (*se connaître*) ? ______
   – Non, on ne (*se connaître*) pas, il me semble. ______

7. – On (*s'asseoir*) ? ______
   – Oui, on (*s'installer*) où ? ______
   – On (*se mettre*) là ? ______
   – On (*se mettre*) là ! ______

8. – On (*se retrouver*) quel jour ? ______
   – On (*se réunir*) mardi, non ? ______
   – Ah oui, et on (*se retrouver*) à quelle heure ? ______
   – À 9 heures.

9. – On (*se préparer*) ? ______
   – Oui, il est temps, on (*s'habiller*) comment ? ______
   – On (*s'habiller*) comme tu veux. ______

10. – On (*se faire*) un café ? ______
    – D'accord.

11. – On (*se montrer*) ? ______
    – On ne (*se montrer*) pas, on (*se cacher*). ______

12. – On (*se reposer*) un peu ? ______
    – Oui, on (*s'arrêter*) cinq minutes. ______

A. *Observez les différentes formes des pronoms. Pourquoi ces différentes formes ?*

Que faire ?

lui sourire ?

la suivre ?

l'embrasser ?

lui prendre la main ?

lui écrire ?

la faire rire ?

lui parler ?

lui offrir des bonbons ?

l'emmener
en promenade ?

ou

l'oublier ?

Que faire ?

le revoir ?

l'ignorer ?

le faire attendre ?

lui répondre ?

lui dire oui ?

lui téléphoner ?

le rejoindre ?

le remercier ?

lui renvoyer sa lettre ?

lui proposer
une rencontre ?

l'inviter chez moi ?

ou

le fuir ?

B. *Classez ces verbes dans un tableau selon leur construction.*

VERBE + QUELQU'UN OU QUELQUE CHOSE	VERBE + À + QUELQU'UN	VERBE + QUELQUE CHOSE + À + QUELQU'UN
suivre quelqu'un revoir	sourire à quelqu'un	écrire (une lettre) à quelqu'un

Devinettes.

On **les** met dans les chaussures.	*Les pieds.*
On **l'**ouvre quand il pleut.	*Son parapluie.*
On vous les demande à la frontière.	______________
On les ouvre le matin, on les ferme le soir.	______________
On les coupe quand ils sont trop longs.	______________
On les met dans une boîte et elles partent.	______________
On a mal aux yeux si on le regarde.	______________
On l'entend mais on ne le voit jamais.	______________
On les attend en général neuf mois.	______________
Certains le cherchent toute leur vie.	______________

Vous **leur** montrez vos passeports aux frontières.	*Aux policiers.*
On **lui** a coupé la tête en 1793.	*Au roi de France Louis XVI.*
On leur raconte des histoires pour les endormir.	______________
On doit leur laisser sa place dans le bus.	______________
Les enfants lui écrivent à Noël pour demander des cadeaux.	______________
On lui confie l'avenir du pays.	______________
On leur a accordé le droit de vote en 1944 en France.	______________
On leur doit le jour.	______________
Certains lui ont vendu leur âme.	______________
Une pomme lui est restée dans la gorge.	______________
Il faut lui « faire la guerre ».	______________

Préparez d'autres devinettes et posez-vous les.

LES MAÎTRES ET LEURS CHIENS

ON PEUT

- aimer
- nourrir
- promener
- battre ou caresser
- attacher
- soigner
- dresser
- laver
- abandonner
- punir

son chien

ON PEUT AUSSI

- parler
- faire mal
- obéir
- ressembler
- faire confiance
- faire peur

à son chien

ON PEUT ENCORE

- acheter
- lancer
- apprendre
- interdire
- permettre

quelque chose à son chien

OU BIEN

- se promener avec son chien
- chasser avec son chien
- chasser sans son chien
- courir derrière son chien
- jouer avec son chien
- vivre pour son chien

Reprenez oralement les différentes séries en pronominalisant.

On peut avoir un chien, l'aimer, le nourrir, le promener…

On peut aussi, si on a un chien, lui parler, lui faire mal…

On peut encore, lorsqu'on a un chien, lui acheter des os…

Ou bien encore on peut se promener avec lui…

A. *Reformulez les questions avec le pronom qui convient.*

Questions à une petite fille
sur ELLE et SA POUPÉE

Comment tu as appelé <u>ta poupée</u> ?	*Comment tu <u>l'</u>as appelée ?*
Tu fais des vêtements à ta poupée ?	*Tu <u>lui</u> fais des vêtements ?*
Tu vas à l'école avec ta poupée ?	*Tu vas à l'école <u>avec elle</u> ?*
Tu aimes ta poupée ?	____________________ ?
Tu parles à ta poupée ?	____________________ ?
Tu racontes des histoires à ta poupée ?	____________________ ?
Tu grondes ta poupée ?	____________________ ?
Tu promènes ta poupée ?	____________________ ?
Tu interdis des choses à ta poupée ?	____________________ ?
Tu es gentille avec ta poupée ?	____________________ ?

5
Pronoms

Questions à un dompteur
sur LUI et SES LIONS

Vous faites confiance à vos lions ?	*Vous <u>leur</u> faites confiance ?*
C'est vous qui nourrissez vos lions ?	*C'est vous qui <u>les</u> nourrissez ?*
Vous êtes tendre avec vos lions ?	*Vous êtes tendre <u>avec eux</u> ?*
Qu'est-ce que vous donnez à manger à vos lions ?	____________________ ?
Vous travaillez combien d'heures par jour avec vos lions ?	____________________ ?
Ça a été difficile de dresser vos lions ?	____________________ ?
Vous frappez vos lions ?	____________________ ?
Vous faites peur à vos lions ?	____________________ ?
Vous parlez fort à vos lions ?	____________________ ?
Vous avez peur de vos lions ?	____________________ ?

Questions à des parents
sur EUX et LEURS ENFANTS

Vous aidez vos enfants à travailler ?	*Vos enfants, vous les aidez à travailler ?*
Vous consacrez du temps à vos enfants ?	*Vous leur consacrez du temps ?*
Vous faites beaucoup pour vos enfants ?	*Vous faites beaucoup pour eux ?*
Vous faites confiance à vos enfants ?	______________________ ?
Vous jouez avec vos enfants ?	______________________ ?
Vous laissez vos enfants très libres ?	______________________ ?
Vous poussez vos enfants à travailler ?	______________________ ?
Vous donnez de l'argent de poche à vos enfants ?	______________________ ?
Vous punissez beaucoup vos enfants ?	______________________ ?
Vous êtes tendre avec vos enfants ?	______________________ ?
Vous êtes possessifs avec vos enfants ?	______________________ ?
Vous vous inquiétez pour vos enfants ?	______________________ ?
Vous comprenez vos enfants ?	______________________ ?

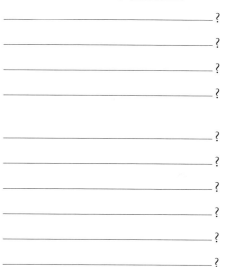

B. *Imaginez un autre questionnaire sur un des sujets suivants :*

> les écrivains et leurs chats • les peintres et leurs modèles • les grands-parents et leurs petits-enfants • des médecins et leurs malades • des voisins entre eux • des gardiens de prison et leurs détenus • des avocats et leurs clients...

A. *Complétez avec les pronoms qui conviennent.*

1. – Tu connais mes parents ?
– Non, je ne ______ connais pas.

2. – Vous cherchez quelqu'un ?
– Oui, Michel Delbart, je dois ______ parler.

3. – Vous ______ connaissez cette femme ?
– Oui, je ______ vois souvent.

4. – Qu'est-ce qu'on ______ apporte à Stéphane ?
– On va ______ acheter un disque de rock.

5. – Tu ne ______ invites pas ?
– Qui ?
– Suzanne et Jean.
– Si, si, je vais ______ téléphoner.
– Appelle- ______ tout de suite.

6. – Vous ne parlez pas à votre ex-femme ?
– Mais si, je ______ revois souvent.
– Vous ______ aimez encore ?
– Je ______ trouve toujours charmante, c'est vrai.

B. *Complétez avec les pronoms qui conviennent.*

Lorsqu'un étudiant veut faire un stage dans la société Léonard, Monsieur Léonard, le directeur lui donne rendez-vous, ______ reçoit et ______ interroge. Puis il ______ montre l'usine, ______ explique le travail à faire, ______ présente à ses collègues et ______ invite à déjeuner.

C. *Reprenez le même texte en variant les sujets.*

Lorsqu'une étudiante... Lorsque des étudiants...

D. *Complétez ces annonces.*

Marie a 25 ans, elle est seule et triste.
Voulez-vous ______ rencontrer ?
______ inviter à dîner ?
______ envoyer des fleurs ?

Jacques a 55 ans, il est beau, riche et seul.
Souhaitez-vous partir en vacances avec ______ ?
Souhaitez-vous ______ rendre heureux ?
Souhaitez-vous ______ épouser ?

Pierre et Jean sont jeunes, heureux de vivre et sans le sou, que diriez-vous de ______________________________

____

____

A. *Lisez.*

Nous, nous avons deux bras
Les avions ont des ailes

Nous avons trente-deux dents
Les fourchettes en ont quatre

Nous n'avons pas de pattes
Les mille-pattes en ont mille

Nous n'avons que deux pieds
Mais les chaises en ont quatre

Nous avons des oreilles
Les murs en ont aussi

Nous n'avons qu'un seul cœur
Les salades aussi.

B. *Écoutez le dialogue et soulignez le pronom « en ». Notez les liaisons.*

– Je vais faire les courses, qu'est-ce que j'achète ?
– Achète du pain ! il n'y en a plus.
– Du sucre ?
– Non, il en reste.
– De l'huile ?
– Non, on en a encore.
– Du beurre ?
– Oui, prends-en.
– Du lait ?
– Non, j'en ai acheté hier.
– De la salade ?
– Non, on en a.
– C'est tout ? Pas de chocolat ?
– Ah si ! du chocolat ! Achètes-en.

C. *Écoutez et ajoutez au dialogue ci-dessus les précisions apportées dans le deuxième enregistrement.*

EN REMPLACE UN SUBSTANTIF PRÉCÉDÉ D'INDÉFINIS OU DE NUMÉRAUX

- du travail, du café, de la bière, de la chance, de l'argent, de l'eau
- une bouteille, un verre, un travail, un, deux, trois, quatre enfants

Il apparaît seul

J'en cherche	(= du travail, des amis…)
Je vais en acheter	(= des cigarettes, de l'essence…)
Je vais en faire	(= du sport, des exercices)

ou accompagné d'un terme quantificateur

J'en cherche un	(= un travail, un ami…)
Je vais en acheter un ou deux	(= un ou deux livres)
Je vais en faire un peu	(= un peu de sport)
Je vais en faire quelques-uns	(= quelques exercices)

ou d'un terme qualificateur

J'en ai un bleu	(= un ballon bleu, un vélo bleu)
J'en cherche un plus grand	(= un appartement plus grand)
J'en vends de magnifiques	(= des objets magnifiques)

Écoutez et complétez les dialogues. 

1. – Du sucre ?
   – ______________________
   – ______________________
   – ______________________

2. – Je fais du café ?
   – ______________________
   – ______________________
   – ______________________

3. – Vous voulez un peu de vin ?
   – ______________________

4. – Tu as trouvé du travail ?
   – ______________________

5. – Tu as des cigarettes ?
   – ______________________
   – ______________________

6. – Papa, je n'ai plus d'argent de poche.
   – ______________________

7. – Tu as des projets de vacances ?
   – ______________________

8. – Tu connais un bon restaurant grec ?
   – ______________________

Devinettes.

1. On en achète quand on voit mal. *des lunettes, des lentilles*
2. Il y en a des gris, des blancs et des noirs dans le ciel. *des nuages, des oiseaux*
3. Si on en boit trop la tête tourne. *du vin, de l'alcool*
4. On peut en faire sur la neige et sur l'eau. ______________________
5. Il y en a dans la mer et on met sur les aliments. ______________________
6. Quand on n'en a plus, on va à la banque. ______________________
7. En France, on doit en avoir un pour conduire. ______________________
8. On en a tous bu quand on était bébé. ______________________
9. Les bicyclettes en ont deux et les voitures en ont quatre. ______________________
10. On en a tous peur. ______________________
11. Si on gagne, c'est qu'on en a. ______________________
12. On en prend quand on est malade. ______________________
13. On en verse quand on est triste. ______________________
14. Il faut en avoir avec les enfants. ______________________
15. Si vous oubliez, c'est que vous n'en avez pas. ______________________

Rajoutez d'autres devinettes avec « en ». Posez-les vous.

____

____

____

____

____

____

____

____

____

____

A. *Observez l'emploi de « en « et de « les ».*

– Vous avez lu des romans de Le Clézio ?
– Oui, j'en ai lu.
– Vous en avez lu beaucoup ?
– Non, j'en ai lu deux, et vous ?
– Je les ai tous lus.

– Vous pouvez citer les capitales européennes ?
– Je ne peux pas les citer toutes.
– Vous pouvez en citer combien ?
– Je pense que je peux en citer une quinzaine.

B. *Cochez puis répondez.*

Combien de langues scandinaves parlez-vous ?

- ❒ Je les parle (presque) toutes.
- ❒ J'en parle plusieurs.
- ❒ J'en parle quelques-unes.
- ❒ J'en parle une, deux.
- ❒ Je n'en parle aucune.

Combien de pays africains connaissez-vous ?

- ❒ Je les connais (presque) tous.
- ❒ J'en connais plusieurs.
- ❒ J'en connais quelques-uns.
- ❒ J'en connais un ou deux.
- ❒ Je n'en connais aucun.

Combien de marques de voitures pouvez-vous citer ?

Combien de langues slaves parlez-vous ?

Combien d'exercices de ce livre avez-vous faits ?

Combien d'élèves de votre classe connaissez-vous ?

Combien de films français avez-vous vus ?

Combien de villes étrangères avez-vous visitées ?

Combien de dents de lait avez-vous perdues ?

Combien d'acteurs ou d'actrices avez-vous rencontrés personnellement ?

Remarquez :

- Pas d'accord du participe passé avec « en » :
  – *J'en ai lu deux, j'en ai vu plusieurs*
- Accord du participe passé :
  – *Je les ai lus, combien de films français avez-vous vus ?*
  – *Combien de dents de lait avez-vous perdues ?*

Rendez les dialogues naturels en pronominalisant ce qui est souligné.

Exemple :

– Vous faites beaucoup de photos ?
– Non, je ne fais pas de photos
– Qu'est-ce que vous pensez de mes photos ?
– Je trouve les photos réussies.

⟶

– *Vous faites beaucoup de photos ?*
– *Non, je n'***en** *fais pas.*
– *Qu'est-ce que vous pensez de mes photos ?*
– *Je* **les** *trouve réussies.*

1. – Vous avez trouvé un appartement ?
– Oui, on a trouvé un appartement hier.
– Il est bien ?
– Venez voir l'appartement !

2. – Tu as acheté un journal ?
– J'ai acheté plusieurs journaux.
– Tu peux me passer les journaux.
– Je te passe un journal, je garde les autres.

3. – Tu as pris ton médicament ?
– Oui, j'ai pris mon médicament
– Tu dois prendre combien de cachets ?
– Je dois prendre trois cachets par jour.

4. – Tu veux voir le dernier film de Louis Malle ?
– Tu as enregistré ce film ?
– Oui si tu veux j'ai d'autres films de lui.
– Je veux bien, je n'ai vu aucun de ses films.

5. – Vous connaissez tous ces jeunes ?
– Oui, je connais tous ces jeunes.
– Moi, je ne connais que deux de ces jeunes.
– Venez, je vais vous présenter ces jeunes.

6. – Tu pratiques le judo depuis longtemps ?
– Depuis cinq ans.
– Tu fais beaucoup de judo ?
– Je fais du judo trois fois par semaine.

7. – Tu aimes ce chanteur ?
– J'adore son dernier disque.
– J'ai son dernier disque.
– J'écouterais bien son dernier disque.

8. – Elle est marrante ta cravate !
– Tu trouves ma cravate ridicule ?
– Pas du tout, je trouve ta cravate marrante.
– Si tu aimes ma cravate, je te donne ma cravate.

A. *Lisez, observez le choix du pronom et sa place, puis répondez.*

Vous croyez au progrès social ?
❒ Oui, j'**y** crois.
❒ Non, je n'**y** crois pas.

Vous pensez à changer de travail ?
❒ Oui, j'**y** pense.
❒ Non, je n'**y** pense pas.

Vous vous habituez à votre vie ?
❒ Oui, je m'**y** habitue.
❒ Non, je ne m'**y** habitue pas.

Vous avez peur de l'orage ?
❒ Oui, j'**en** ai peur.
❒ Non, je n'**en** ai pas peur.

Vous avez besoin de faire du sport ?
❒ Oui, j'**en** ai besoin.
❒ Non, je n'**en** ai pas besoin.

Vous vous souvenez de votre adresse ?
❒ Oui, je m'**en** souviens.
❒ Non, je ne m'**en** souviens pas.

VERBE + À QUELQUE CHOSE ↓ **Y**	**VERBE + DE QUELQUE CHOSE** ↓ **EN**
S'intéresser à	Se souvenir de
Renoncer à	Manquer de
S'habituer à	Avoir besoin de
Penser à	Avoir envie de
Faire attention à	Avoir peur de
Se soumettre	Se moquer de
Résister à	S'occuper de
…	…

B. *Complétez les questions oralement d'abord puis par écrit.*

Exemples

- Vous avez peur de la maladie ou…
  → *Vous avez peur de la maladie ou vous n'en avez pas peur ?*
- Je voudrais savoir s'il s'habitue à sa nouvelle vie ou…
  → *Je voudrais savoir s'il s'habitue à sa nouvelle vie, ou s'il ne s'y habitue pas ?*

1. Vous avez besoin d'argent ou… ?

____

2. Tu fais attention à ta prononciation ou tu… ?

____

3. Est-ce qu'il a besoin de travailler ? Est-ce qu'il n'… ?

____

4. Dites-moi si vous voulez vous occuper de mes affaires ou si vous ne…

____

5. Tu t'intéresses à la politique ou tu ne... ?

6. Vous ne croyez pas aux valeurs démocratiques ou vous... ?

7. Dis-moi si tu penses à tes prochaines vacances ou si...

8. Vous vous souvenez de votre petite enfance ou bien vous... ?

9. J'aimerais savoir si elle s'habitue à son mode de vie ou si...

10. Tu as envie de voyager ou tu... ?

PRONOMINALISATION

VERBE + À QUELQU'UN		VERBE + DE QUELQU'UN
↓ LUI	↓ À LUI	↓ DE LUI
Tous les verbes à double complément Je lui donne mon adresse Je leur explique le problème Je lui demande un service Je leur prépare un café etc. *99 % des verbes V + à + qqun* Je lui parle Je lui téléphone Je leur obéis Je leur résiste etc.	*Tous les verbes Se + V + à + qqun* Je m'intéresse à lui Je m'habitue à elle Je m'oppose à eux Je m'adresse à elles etc. *quelques verbes V + à + qqun dont voici les plus courants :* Je pense à lui Je fais attention à elle Je tiens à eux Je renonce à elles	*Tous les verbes V + de + qqun* Je parle de lui Je me moque d'elle Je me souviens d'eux J'ai peur d'elles Je m'occupe de lui etc.

Écoutez, complétez.

●❍

À PROPOS D'UN TÉLÉVISEUR À LIVRER :

On *vous le* livre à quelle adresse ?

À PROPOS D'UN DISQUE PRÊTÉ :

Tu ________ rends quand ?

À PROPOS D'UN CHAT À GARDER ? :

Tu ________ laisses combien de jours ?

À PROPOS D'UNE CHAMBRE D'HÔTEL À RÉSERVER :

Je ________ réserve pour combien de jours ?

À PROPOS DE RENSEIGNEMENTS À DONNER :

Vous pouvez ________ faxer rapidement ?

À PROPOS DE CASQUETTES CONVOITÉES :

Il ________ achète où ses casquettes ?

À PROPOS D'UNE LETTRE URGENTE POUR X :

Pourquoi ne pas ________ glisser sous sa porte ?

À PROPOS DES AGRAFES D'UN ENFANT :

Le médecin ________ retire quand ?

À PROPOS D'UN LIVRE PRÊTÉ À QUELQU'UN :

N'oublie pas de ________ rendre.

À PROPOS D'UNE BONNE NOUVELLE POUR DES AMIS :

On va ________ annoncer tout de suite ?

À PROPOS D'UN STUDIO À FAIRE VISITER À DES CLIENTS :

Vous ________ faites visiter quel jour ?

À PROPOS DE BIJOUX OUBLIÉS PAR DES INCONNUS :

On ________ rend ou on ________ pique ?

Place des pronoms toutes constructions			SAUF impératif positif	
1	**2**		**1**	**2**
me	**1**	**2**	le	moi
te	le		la	nous
se	la	lui	les	lui
nous	les	leur		leur
vous				

A. *Observez et mémorisez.*

Secret de Polichinelle

Ils en parlent à tout le monde
Ils m'en parlent
Ils t'en parlent
Ils lui en parlent
Ils leur en parlent
Ils vous en parlent
Tout le monde est au courant

Secret bien gardé

Ils n'en parlent à personne
Ils ne t'en parlent pas
Ils ne m'en parlent pas
Ils ne lui en parlent pas
Ils ne leur en parlent pas
Ils ne vous en parlent pas
Personne ne sait rien

Reprenez oralement.

- **au passé composé « Secret de Polichinelle »**.
  Exemple : Ils en ont parlé à tout le monde, ils m'en ont parlé...

- **avec vouloir, pouvoir, devoir ou aller « Secret bien gardé ».**
  Exemple : Ils ne peuvent en parler à personne, ils ne peuvent pas m'en parler...

B. *Observez et mémorisez.*

Chut !

Tais-toi !
Ne m'en parle pas !
Ne lui en parle pas !
Ne leur en parle pas !
Ne nous en parle pas !
Ne dis rien à personne !

Parle !

Mais parle voyons !
Parle-m'en !
Parle-lui-en !
Parle-leur-en !
Parle-nous-en !
Ne garde pas ça pour toi !

A. *Complétez oralement puis par écrit en utilisant deux pronoms complément.*

☞ ne… plus, 224

AVANT J'AVAIS… JE N'AI PLUS

1. Je n'ai plus de permis de conduire, on (*retirer*) … ***me l'****a retiré*
2. Je n'ai plus de pantoufles, le chien (*déchirer*) ____________
3. Je n'ai plus de chapeau, le vent (*enlever*) ____________
4. Je n'ai plus de dents de sagesse, le dentiste (*arracher*) ____________
5. Je n'ai plus d'illusions, la vie (*détruire*) ____________

AVANT JE N'AVAIS PAS… MAINTENANT J'AI

1. Je n'avais pas d'argent, un vieil oncle (*envoyer*) … ***m'en*** *a envoyé*
2. Je n'avais pas de voiture, mes parents (*offrir*) ____________
3. Je n'avais pas d'appartement, un ami (*prêter*) ____________
4. Je n'avais pas de travail, un voisin (*trouver*) ____________
5. Je n'avais pas de chance, la vie (*donner*) ____________

☞ accord, 65, 67, 170

B. *Reprenez ces phrases en changeant de sujet.*

- **tu, nous ou vous.**
  Exemple : Tu n'avais pas d'argent, un vieil oncle t'en a envoyé.
- **il, elle, ils ou elles.**
  Exemple : Il n'avait pas d'argent, un vieil oncle lui en a envoyé.

C. *Complétez.*

1. À PROPOS DE PAPIERS D'IDENTITÉ :
   La police *nous les* a demandés et nous *les lui* avons présentés.
2. À PROPOS DE LA VOITURE DE BERNARD :
   Bernard me ________ prête pour le week-end et je ________ rends lundi matin.
3. À PROPOS DE LA COPIE D'UN ÉTUDIANT MALADE :
   Il va vous ________ envoyer par la poste et vous ________ renverrez corrigée.
4. À PROPOS DE LA FACTURE DU GARAGISTE :
   Le garagiste me ________ apportera à mon bureau et je ________ paierai immédiatement.
5. À PROPOS D'UNE PERMISSION REFUSÉE :
   Ton fils te ________ demande gentiment cette permission, pourquoi tu ________ refuses ?

Recomposez les phrases.

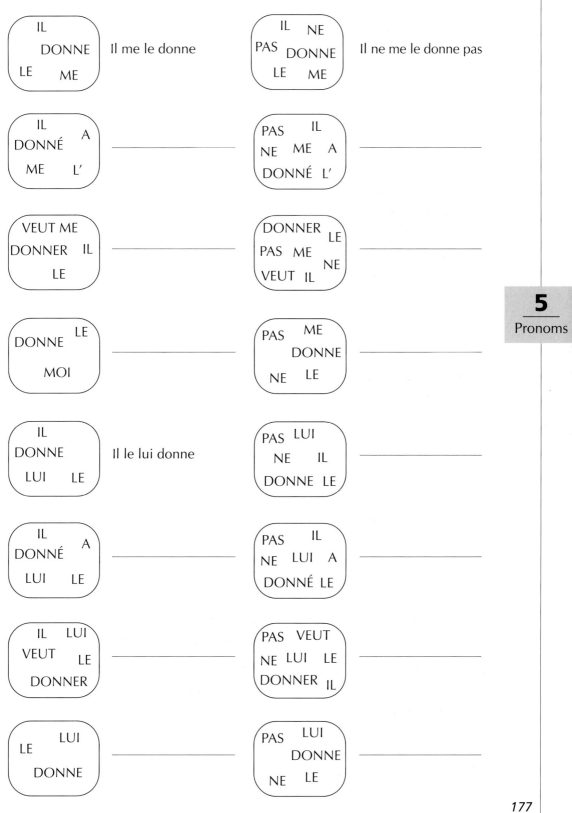

Mots	Phrase	Mots	Phrase
IL DONNE LE ME	Il me le donne	IL NE PAS DONNE LE ME	Il ne me le donne pas
IL A DONNÉ ME L'	__________	PAS IL NE ME A DONNÉ L'	__________
VEUT ME DONNER IL LE	__________	DONNER LE PAS ME NE VEUT IL	__________
LE DONNE MOI	__________	PAS ME DONNE NE LE	__________
IL DONNE LUI LE	Il le lui donne	PAS LUI NE IL DONNE LE	__________
IL A DONNÉ LUI LE	__________	PAS IL NE LUI A DONNÉ LE	__________
IL LUI VEUT LE DONNER	__________	PAS VEUT NE LUI LE DONNER IL	__________
LUI LE DONNE	__________	PAS LUI DONNE NE LE	__________

Pronoms possessifs ➤➤ *Observation/entraînement*

A. *Écoutez et soulignez les pronoms possessifs.* 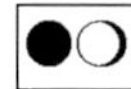

1. Ma voiture est en panne, tu pourrais me prêter la tienne ?
2. Mes skis ne me conviennent pas, je pourrais essayer les tiens ?
3. Voilà les photos que j'ai prises ; j'aimerais bien voir les tiennes.
4. Tu connais mon point de vue, j'aimerais bien connaître le tien.

B. *Complétez.*

Un envieux

A. – Ton appartement est plus grand que ____________________
B. – Peut-être un peu.
A. – Ta voiture est plus rapide que ____________________
B. – Je ne sais pas, c'est possible.
A. – Mes parents sont plus vieux que ____________________
B. – Pas tellement !
A. – Tu as des vacances plus longues que ____________________
B. – Cette année exceptionnellement oui.
A. – Mon travail est beaucoup moins intéressant que ____________________
B. – Tu trouves ?
A. – Je crois que j'ai un caractère moins heureux que ____________________
B. – Tu crois ?! vraiment ?

« Chacun pour soi, et Dieu pour tous ! »

1. Tout le monde a ses problèmes, vous avez __________, j'ai __________, chacun a __________ .
2. Il a sa façon de voir les choses, nous avons __________ et vous la __________ .
3. J'ai mes habitudes et ma femme a __________ .
4. Chacun paie son voyage ; moi __________, vous __________ .
5. Vous avez vos projets, nous avons __________ .
6. Il vit avec ses enfants mais il mène sa vie et eux __________ .
7. Elle ne sait rien de ma vie et je ne sais rien de __________ .

C. *Complétez le tableau des pronoms possessifs.*

	Masc. Sg.	Fém. Sg.	Masc. Pl.	Fém. Pl.
à moi	le mien			
à toi	le tien	la tienne	les tiens	les tiennes
à lui/à elle	le sien			
à nous	le nôtre			
à vous	le vôtre			
à eux/elles	le leur			

A. *Écoutez, soulignez les pronoms démonstratifs.*

De quoi parlent-ils ?

1. – Lequel choisissez-vous ?
   – Celui-ci, avec la plume en or, il écrit bien. *(d'un stylo)*
2. – Vous voulez essayer les noires ?
   – Non, je préfère celles-ci, les bleues.
3. – Comme d'habitude ?
   – Oui, une boîte de Schimmelpennig.
   – Vous ne voulez pas essayer ceux-ci ?
   – Ils sont un peu chers pour moi les « Havane ».
4. – Lequel me conseillez-vous ?
   – Celui-là, il est intéressant comme prix et il fait d'excellentes photos.
5. – Vous voudriez visiter celle-ci ?
   – Non, celle-là, la grande avec un petit jardin.
6. – Laquelle tu préfères ?
   – Celle en toile, elle est plus légère.
   – Oui, mais celle-ci est plus rigide, pour l'avion c'est mieux !
   – Oui, tu as raison. Bon ! je prends celle-ci, Mademoiselle !

Lequel ?	celui-ci, celui-là	
Laquelle ?	celle-ci, celle-là, celle en...	la grande
Lesquels ?	ceux-ci	
Lesquelles ?	celles-ci	les noires, les bleues

B. *Complétez oralement.* *Écrivez le pronom*

On peut préférer

- son travail à... de son père ou de sa mère *celui*
- sa nourriture à... d'autres pays *celle*
- son sort à... des éléphants ____________
- sa femme à... de son voisin ____________
- ses propres tableaux à... de Picasso ____________
- sa façon de s'habiller à... de ses parents ____________
- l'immeuble où on habite à... d'en face ____________
- ses vins à... des Français ____________
- son humour à... d'autres peuples ____________
- ses intérêts à... de son entourage ____________

La qualification
La caractérisation

Portrait robot n° 1
L'ANDROIDE

œil artificiel
voix artificielle
cœur artificiel
bras artificiel
rein artificiel
jambe artificielle
port artificiel
intelligence artificielle

Michèle Metail, *23 portraits robots*
La bibliothèque européenne, Ramsay

Bonjour ! Bonsoir !

Bonne matinée ! Bon après-midi !
Bonne journée ! Passe une bonne journée !

Bonne soirée ! Amusez-vous bien !

Bonne nuit ! Dors bien ! Fais de beaux rêves !

Joyeuses fêtes ! Bon Noël ! Joyeux Noël !
Et bonne année ! Je vous souhaite une bonne année !

BON ANNIVERSAIRE ! JOYEUX ANNIVERSAIRE !

Bonne traversée ! Bonne route et bonnes vacances !
Passez de bonnes vacances ! et faites un bon voyage !

Bon rétablissement ! Soigne-toi bien !
Repose-toi bien !

BON APPÉTIT !

Bon courage ! Travaillez bien et tranquillement !
Bonne chance !

☞ adverbes, 186

Notez les adjectifs et les adverbes dans le tableau.

ADJECTIFS	ADVERBES

A. *Écoutez. Le féminin et le masculin de l'adjectif sont-ils différents (≠) ou semblables (=) phonétiquement ?*

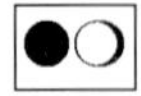

IL EST	ELLE EST	PHONÉTIQUEMENT = ou ≠
japonais	japonaise	≠
russe	russe	=
chinois	chinoise	
canadien	canadienne	
belge	belge	
allemand	allemande	
européen	européenne	
argentin	argentine	
espagnol	espagnole	
suisse	suisse	
africain	africaine	
vietnamien	vietnamienne	

B. *Écoutez, notez si la prononciation de l'adjectif est identique ou différente. Observez les différences d'orthographe puis relisez les phrases.*

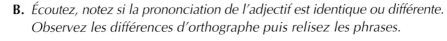

Il est jeune =	grand ≠	sportif	dynamique	gentil
Elle est jeune	grande	sportive	dynamique	gentille

Elle est timide	craintive	calme	douce	belle	célibataire
Il est timide	craintif	calme	doux	beau	célibataire

C. *Écoutez et complétez les tableaux.*

Elle est dominatrice	autoritaire	active	têtue	cultivée
Il est				

Elle est patiente	discrète	créative	originale	spirituelle
Il est				

Il est amical	bavard	passionné	fatigant
Elle est			

Type 1 : MÊME PRONONCIATION AU MASCULIN ET AU FÉMININ

M	F
facile riche stupide	facile riche stupide
noir supérieur vrai original	noire supérieure vraie originale
artificiel naturel grec	artificielle naturelle grecque

Type 2 : PRONONCIATION DIFFÉRENTE AU MASCULIN ET AU FÉMININ

M	F	
vert froid bas français long frais	verte froide basse française longue fraîche	*violent, charmant...* *gourmand, grand...* *doux, roux...* *heureux, chanceux...* *sec/sèche.*
dernier	dernière	*premier, entier...*
bon catalan argentin mexicain coréen brun	bonne catalane argentine mexicaine coréenne brune	*breton, mignon...* *paysan, persan...* *fin, gamin...* *africain, cubain...* *vietnamien, ancien...*
vif	vive	*actif, positif, sportif...*
dominateur flatteur	dominatrice flatteuse	*formateur, conservateur...* *rêveur, travailleur...*
Attention ! vieux/vieille • beau/belle • nouveau/nouvelle • fou/folle.		

Marques orthographiques du pluriel :
- Rajoutez un « **s** » pour la quasi-totalité des adjectifs :
  faciles, verts, vifs, bruns, originales...
- Rajoutez un « **x** » à *beau* et *nouveau.*
- Ne rajoutez **rien** aux adjectifs terminés par un « x » ou « s » :
  doux, vieux, français, frais...
- Transformez « **al** » en « **aux** » :
  original/originaux, amical/amicaux, brutal/brutaux...

A. *Formez les adjectifs à partir des verbes ; faites l'accord avec le sujet.*

	CHOQUER	Ça ne les choque pas, ***ils** ne sont pas choqué**s**.*
	INTÉRESSER	Ça l'intéresse, ***elle** est intéressé**e**.*
1.	ATTIRER	Ça ne l'attire pas, elle ______
2.	RÉVOLTER	Ça le révolte, il ______
3.	SOULAGER	Ça les soulage, ils ______
4.	RASSURER	Ça ne les rassure pas, elles ______
5.	DÉMORALISER	Ça le démoralise, il ______
6.	FAVORISER	Ça les favorise, elles ______
7.	INTIMIDER	Ça ne l'intimide pas, elle ______
8.	VALORISER	Ça le valorise, il ______

B. *Même exercice.*

	ÉTONNER	Ça m'*étonne, c'est étonnant, je suis étonné(e).*
	AGACER	Ça nous *agace, c'est agaçant, nous sommes agacé(e)s.*
1.	DÉSOLER	Ça me______
2.	DÉCOURAGER	Ça nous ______
3.	AFFLIGER	Ça m' ______
4.	EFFRAYER	Ça m' ______
5.	APITOYER	Ça m' ______
6.	SÉDUIRE	Ça me______
7.	ATTENDRIR	Ça nous ______
8.	CONVAINCRE	Ça nous ______
9.	ÉMOUVOIR	Ça me______
10.	SURPRENDRE	Ça me______

Devant « a »
« c » devient « ç » *agacer/agaçant*
« g » devient « ge » *décourager/décourageant*
pour maintenir la même prononciation.

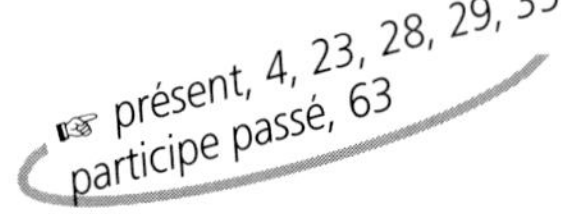
☞ présent, 4, 23, 28, 29, 35
participe passé, 63

A. *Lisez, observez la place de l'adjectif.*

« J'AIME, JE N'AIME PAS, JE DÉTESTE, J'ADORE...

• les grosses voitures	*les petites voitures ou les voitures moyennes*
• les douches froides	*les douches chaudes ou* ______
• les gros problèmes	______
• les jeunes chiens	______
• les cheveux longs et raides	______
• les carottes cuites	______
• les grands discours	______
• les mauvaises notes	______
• les alcools doux	______
• le lait chaud	______
• les journées grises	______
• les grands voyages	______
• les petits cafés	______
• les meubles anciens	______
• l'eau gazeuse	______
• la vie citadine	______
• les saveurs sucrées	______
• les bonnes affaires	______
• le mauvais temps	______
• les visages ronds	______
• les gens grossiers	______

B. *Notez en face de chaque proposition son contraire puis exprimez vos goûts, vos préférences. Échangez.*

PLACE DE L'ADJECTIF

- Dans la plupart des cas les adjectifs sont postposés : *un mouton noir, un étudiant étranger, un visage rond, une idée originale, un peintre italien...*
- Quelques adjectifs très fréquents (beau, joli, jeune, vieux, petit, grand, mauvais, bon) sont généralement antéposés : *un beau cadeau, une jeune étudiante, un vieux quartier...*

A. *Lisez.*

LE TEMPS PASSE

Le temps passe lentement.
Le temps passe très lentement.
Le temps passe trop lentement.
Le temps passe beaucoup trop lentement.
Le temps passe de plus en plus lentement.

Le temps passe vite.
Le temps passe très vite.
Le temps passe trop vite.
Le temps passe beaucoup trop vite.
Le temps passe de plus en plus vite.

Le temps ne passe pas.
Le temps ne passe pas vite.
Le temps ne passe pas assez vite.
Le temps passe de moins en moins vite.

B. *Soulignez les adjectifs et entourez les adverbes.*

1. Je suis en bonne santé, je vais bien.
2. Il est en mauvaise santé, il va mal.
3. Sa voiture est rapide et il roule trop vite.
4. Il a une voix forte et il parle très fort.
5. Elle parle très doucement, elle a une voix douce.
6. Il gagne difficilement sa vie, sa vie n'est pas facile.
7. Les rues sont encombrées, on roule mal.
8. J'aime bien votre café, il est très bon.
9. Vous parlez vraiment très bien, votre accent est excellent.
10. Je parle couramment français, bien anglais, un peu italien et très mal allemand.
11. On le voit fréquemment, il nous fait de fréquentes visites.
12. La grève est trop longue, elle dure trop longtemps.

L'information exprimée par le verbe peut être modifiée ou précisée par un adverbe ou un groupe adverbial :
– de manière : *il travaille vite, bien et avec enthousiasme.*
– de temps, de périodicité : *il travaille tôt le matin mais rarement.*
– de lieu : *il travaille n'importe où ; il voyage partout.*
– de cause : *il travaille par nécessité.*
– de quantité : *il travaille beaucoup, il boit trop.*

☞ adverbes de lieu, 230
place de l'adverbe, 73

Observez et complétez.

FORMATION SUR LE FÉMININ : majorité des adverbes

ADJECTIF	ADVERBE	GROUPE ADVERBIAL *avec, sans, par, en + substantif* *de façon + adjectif*
difficile	*difficilement*	avec difficulté/sans difficulté
efficace	________	de façon efficace, avec efficacité
aimable	________	avec amabilité, par amabilité
amical(e)	*amicalement*	par amitié, d'une façon amicale
naturel(le)	________	d'une manière naturelle
froide/froid	*froidement*	avec froideur, de façon polie
légère/léger	________	d'une manière légère, avec légèreté
franche/franc	________	avec franchise, par franchise
amoureuse/amoureux	________	avec amour, par amour
silencieuse/silencieux	________	en silence
douce/doux	________	avec douceur, sans douceur
molle/mou	________	avec mollesse, par mollesse

FORMATION SUR LE MASCULIN : adjectifs masculins terminés par une voyelle

passionné(e)	*passionnément*	avec passion, sans passion
modéré(e)	________	avec modération, sans modération
poli(e)	________	d'une façon polie, par politesse
vrai(e)	________	

sauf : gaiement

Adjectifs en « ...ent » « ...ant »

prudent	*prudemment*	avec prudence, par prudence
méchant	*méchamment*	avec, sans, par méchanceté
intelligent	________	avec, sans intelligence
fréquent	________	à rythme fréquent
patient	________	avec, sans patience
bruyant	________	sans bruit, de façon bruyante
puissant	________	avec, sans puissance

sauf : lent/lente : lentement

Formations particulières : bref/brève : brièvement, gentil/gentille : gentiment

A. *Est-ce vrai ou faux pour vous ?*

Je lis beaucoup.
Je travaille peu.
Je ne fume pas du tout.
Je dors très peu.
Je me parfume beaucoup.
Je ne téléphone pas beaucoup.
Je voyage beaucoup.
Je ne souris pas beaucoup.
Je rêve énormément.
Je mange très peu.

Je parle beaucoup trop.
Je ne réfléchis pas assez.
Je dépense trop.
Je travaille trop peu.
Je n'agis pas assez.
Je m'inquiète beaucoup trop.
Je pèse trop lourd.
Je n'écoute pas assez les autres.
Je ne vais pas assez au cinéma.
J'hésite trop avant de me décider.

B. *Imaginez un personnage de votre choix faisant son autocritique.*

C. *Imaginez des reproches.*

• de parents à enfants • de médecin à malade • de professeur à élève • d'homme politique à homme politique • de metteur en scène à acteur • de patron à secrétaire • de client à serveur
ou vice versa.

Exemples :

« Vous roulez trop vite » (policier à automobiliste).
« Vous criez trop fort » (automobiliste à policier).

A. *Observez les différents moyens de caractériser.*

Un restaurant

Adjectifs	Groupes prépositionnels	Propositions relatives
chaleureux calme chic simple exotique animé	sans prétention à la mode sans musique de fond avec une belle vue de standing au service rapide aux prix modérés	où l'on fait des rencontres où l'ambiance est détendue qui ont une terrasse qui ferment tard

B. *Trouvez ce qui est caractérisé.*

Un appartement		
meublé ou vide confortable	avec balcon à loyer modéré	qu'on peut sous-louer
....		
illustré sérieux	sans images d'art de poche pour enfants d'occasion	que l'on relit souvent
....		
longues ou courtes réussies ou ratées scolaires	d'été ou d'hiver à la campagne, à la mer… en groupe de rêve à l'étranger	que l'on passe en famille qui reposent ou fatiguent
....		
puissante et rapide confortable neuve	d'occasion de marque étrangère à pédales à direction assistée de location	qui consomme peu qui freine mal
....		
blanche, rouge… courte ou longue décolletée	de mariée du soir d'avocat	que l'on remarque qui va bien

Continuez.

À votre avis qu'est-ce qui est le plus fréquent ?

Les femmes qui battent leur maris ?
ou
Les femmes que leurs maris battent ?

Les gardiens de prison qui terrorisent les détenus ?
ou
Les gardiens que les détenus terrorisent ?

Les automobilistes qui injurient les policiers ?
ou
Les automobilistes que les policiers injurient ?

Les hommes qui effraient les femmes ?
ou
Les hommes que les femmes effraient ?

Les commerçants qui volent leurs clients ?
ou
Les commerçants que leurs clients volent ?

Les hommes politiques qui estiment leurs concitoyens ?
ou
Les hommes politiques que leurs concitoyens estiment ?

Les grands-parents qui aident financièrement leurs petits-enfants ?
ou
Les grands-parents que leurs petits-enfants aident financièrement ?

Les professeurs qui martyrisent les élèves ?
ou
Les professeurs que les élèves martyrisent ?

Les parents qui dérangent leurs enfants ?
ou
Les parents que leurs enfants dérangent ?

Les hommes qui quittent leur femme ?
ou
Les hommes que leur femme quitte ?

Les sœurs qui protègent leurs frères ?
ou
Les sœurs que leurs frères protègent ?

Échangez.

Amplifiez en rajoutant des caractérisants : adjectifs, groupes prépositionnels, relatives, adverbes ou groupes adverbiaux.

Exemple : « **Un homme marche dans une rue.** »

> « **Un** jeune **homme** anglais qui n'a peur de rien **marche** sans se presser **dans une** petite **rue** sombre et déserte. »
>
> « **Un homme** ivre, très élégant, **marche** avec difficulté **dans une** grande **rue** éclairée pleine de monde. »

Deux hommes sortent d'une voiture et entrent dans une banque.

Dans un parc, sur un banc, une femme lit un journal.

Derrière le rideau d'une fenêtre d'un immeuble, deux femmes observent.

Une fille appelle un garçon qui traverse une rue.

Un voyageur cherche une place dans un compartiment.

Comparaison

J'aime mieux
tes lèvres
que mes livres.

J. Prévert, *Fatras*.

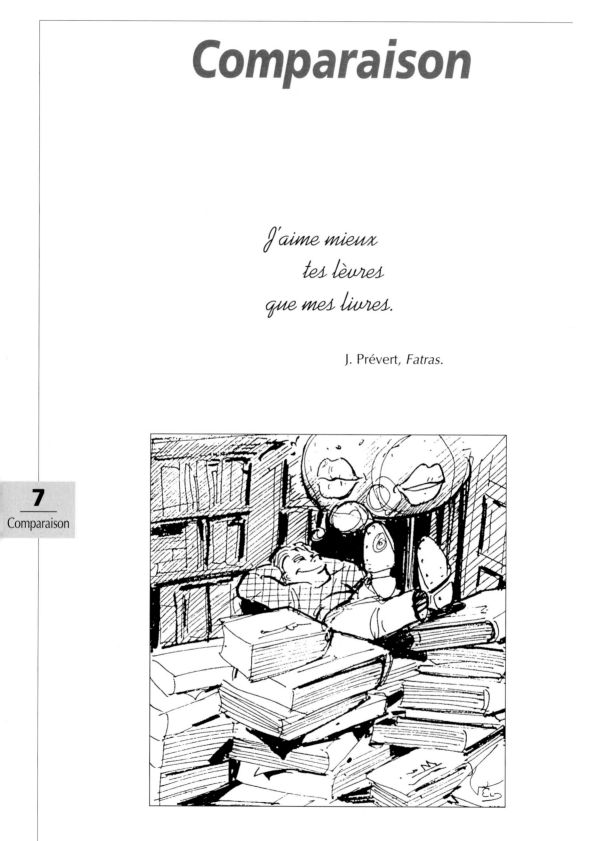

Classez les phrases suivantes selon que la comparaison porte sur le nom, le verbe, l'adverbe ou l'adjectif.

Le sport et les membres de votre groupe

Dans votre groupe :

Qui s'entraîne le plus ?
Qui a commencé le plus tôt à faire du sport ?
Qui a gagné le plus de compétitions sportives ?
Qui est le plus passionné par le sport ?
Qui connaît le mieux les règles du rugby ?
Qui s'intéresse le moins au sport ?
Qui va le moins souvent à la piscine ?
Quel est le meilleur skieur ?
Qui nage le mieux ?
Qui fait le moins d'exercice physique ?
Qui est monté le plus haut ?
Qui a eu le moins d'accidents sportifs ?
Qui a parcouru le plus de kilomètres à pied ?
Qui pratique le plus de sports ?
Lequel d'entre vous est le moins sportif ?

NOM

Qui a gagné le plus de *compétitions sportives* ?

____

____

VERBE

Qui *s'entraîne* le plus ?

____

____

ADJECTIF

Qui est le plus *passionné* par le sport ?

____

____

ADVERBE

Qui a commencé le plus *tôt* à faire du sport ?

____

____

A. *Lisez.*

- Les Chinois sont plus nombreux que les Français.
- En général, les adultes ne dorment pas autant que les bébés.
- En moyenne les chiens vivent moins longtemps que les hommes.
- Il y a plus de gens intelligents que d'imbéciles.
- L'équateur est aussi loin du pôle Nord que du pôle Sud.
- Un kilo de plomb pèse aussi lourd qu'un kilo de plumes.
- Les femmes cuisinent mieux que les hommes.
- Les hommes pleurent moins que les femmes.
- On mange plus de riz en Asie qu'en Europe.
- Les chauves ont moins de cheveux que les chevelus.
- Les riches sont plus heureux que les pauvres.
- Les filles parlent plus que les garçons.

B. *Classez ces phrases selon que la comparaison porte sur le nombre, le verbe, l'adjectif ou l'adverbe.*

NOM
- Il y a plus de gens intelligents que d'imbéciles
- ____________________
- ____________________

VERBE
- Les adultes ne dorment pas autant que les bébés
- ____________________
- ____________________

ADJECTIF
- Les Chinois sont plus nombreux que les Français
- ____________________
- ____________________

ADVERBE
- Les chiens vivent moins longtemps que les hommes
- ____________________
- ____________________

C. *Ces affirmations sont-elles contestables ou incontestables ?*
Échangez. Proposez d'autres affirmations à la discussion.

La comparaison porte sur :	**COMPARATIF** Comparaison de deux éléments ou ensembles	**SUPERLATIF** Sélection d'un élément dans un ensemble
LE NOM	Qui mange plus de gâteaux moins de gâteaux autant de gâteaux que moi ?	Qui a le plus d'appétit ? le moins d'appétit ?
LE VERBE	Qui mange plus/davantage moins autant que moi ?	Qui mange le plus ? Qui mange le moins ?
L'ADJECTIF	Qui est plus gourmand moins gourmand aussi gourmand que moi ?	Qui est le plus gourmand ? Qui est le moins gourmand ?
L'ADVERBE	Qui mange plus vite moins vite aussi vite que moi ?	Qui mange le plus vite ? Qui mange le moins vite ?

Remarques :

- Comparatif et superlatif de l'adjectif « bon » = « meilleur » :
  Il est meilleur que moi en anglais mais il est moins bon que moi en espagnol.
  C'est le meilleur élève de la classe d'anglais.

- Comparatif et superlatif de l'adverbe « bien » = « mieux » :
  Il parle mieux anglais que moi mais il parle moins bien espagnol.
  C'est lui qui parle le mieux anglais.

- (le) pire = (le) plus mauvais ou (le) plus mal :
  Mon accent en anglais est pire que le tien !
  La vie ici est encore pire qu'ailleurs.
  « L'homme est le pire ennemi de l'homme. »

Formulez des phrases complètes avec « (pas) aussi » ou « (pas) autant » selon votre opinion.

Exemples :
Il y a/propriétaires de chiens/propriétaires de chats
Il n'y a pas autant de propriétaires de chiens que de propriétaires de chats.
Il y a autant de propriétaires de chiens que de propriétaires de chats.

1. femmes/hommes/*fumer*
   Les femmes fument autant que les hommes.
2. chimie/physique/*difficile*
3. œuf de poule/œuf d'autruche/*lourd*
4. dire bonjour/dire bonsoir/*fréquemment*
5. alcool/drogue/*néfaste*
6. retraités/actifs/*voyager*
7. lève-tôt/lève-tard/*il y a*
8. gris/noir/*triste*
9. garçons/filles/*il naît*

10. enfants/adultes/*regarder la télévision*
11. jours de soleil/jours de pluie/*il y a*

Notez dans ce tableau les images comparatives utilisées fréquemment dans votre langue et en français. Imaginez d'autres expressions imagées.

	En français	Dans votre langue	Autres images à créer
manger comme	un ogre, quatre (= beaucoup) un cochon (= salement)		
dormir comme			
boire comme			
travailler comme			
fumer comme			
joli comme			
sérieux comme			
léger comme			
beau comme			
sage comme			
rapide comme			
courir comme			
aimable comme			
droit comme			
ennuyeux comme			

Posez des questions avec les éléments proposés comme dans les exemples puis échangez.

danger d'une drogue → *Quelle est selon vous la drogue la plus dangereuse ?*

excellence d'un sport → *Quel est à votre avis le meilleur sport ?*

désagrément d'un bruit → *Quel est pour vous le bruit le plus désagréable ?*

1. musicalité d'une langue

____

2. fidélité d'un animal

____

3. attraction d'un pays

____

4. désagrément d'une odeur

____

5. agrément d'une saveur

____

6. tristesse d'une couleur

____

7. charme d'une saison

____

8. agacement causé par un défaut

____

9. prestige d'une profession

____

10. importance d'une découverte scientifique

____

A. *Lisez.*

1. Quelle est la personne la plus jeune de votre groupe d'étudiants ?
2. Quelle est celle qui a le plus de frères et sœurs ?
3. Quelle est celle qui connaît le plus de pays étrangers ?
4. Quelle est celle qui chante le mieux ?
5. Quelle est celle qui est descendue le plus bas sous terrre ?
6. Quelle est celle qui s'est endormie le plus tard hier soir ?
7. Quelle est celle qui s'est levée le plus tôt ce matin ?
8. Quelle est celle qui parle le plus de langues ?
9. Quelle est celle qui aime le moins le chocolat ?
10. Quelle est celle qui a l'accent le plus « français » ?
11. Quelle est celle qui a parcouru à pied le plus de kilomètres ?
12. Quelle est celle qui a le moins ou le plus besoin de sommeil ?
13. Quelle est celle qui a les plus petits pieds ?
14. Quelle est celle qui cuisine le mieux ?
15. Quelle est celle qui a le moins envie de travailler aujourd'hui ?
16. Quelle est celle qui prononce le mieux le mot « anticonstitutionnellement » ?
17. Quelle est celle qui mange le plus de bonbons ?
18. Quelle est celle qui a le plus peur en avion ?
19. Quelle est celle qui aime le plus les fêtes ?

B. *Chargez-vous d'une question et enquêtez.*

C. *Faites part des résultats et décernez des prix si vous le souhaitez.*

- C'est X qui prononce le mieux le mot « anticonstitutionnellement » et nous lui décernons le prix du meilleur accent. Il reçoit un dictionnaire de langue française.
- C'est X qui mange le plus de bonbons : il reçoit le prix de la gourmandise et une consultation gratuite chez le meilleur dentiste de la ville.
- X est le plus grand amateur de fêtes du groupe, nous lui attribuons le prix « Carnaval ». Il gagne une bouteille de champagne ! Bravo !

A. *Lisez les phrases suivantes, soulignez les formules de comparaison.*

1. En moyenne les Français sont plus grands que les Françaises.
2. Les hommes des différentes classes socio-professionnelles ont en moyenne la même taille.
3. Les parents sont en moyenne moins grands que leurs enfants.
4. Les gens en vieillissant deviennent plus lourds.
5. Les hommes dépensent autant que les femmes pour leur habillement.
6. Les Français consomment autant de pain qu'en 1920.
7. Les Français boivent moins de vin qu'il y a vingt ans.
8. Pour cuisiner, on utilise plus de beurre au sud qu'au nord de la France.
9. L'âge de l'adolescence est plus tardif maintenant qu'au début du siècle.
10. Les cafés sont plus nombreux qu'avant en France.
11. Les femmes ont en moyenne un salaire moins élevé que les hommes.
12. Les garçons lisent plus de BD que les filles.
13. Les Français sont les plus grands consommateurs de médicaments en Europe.
14. Les Français sont les plus gros acheteurs de pantoufles d'Europe.

B. *Ces affirmations sont-elles à votre avis vraies ou fausses ?*
Échangez, puis écoutez et écrivez les commentaires enregistrés.

Exemple phrase 1 : *Vrai ! Les Français mesurent en moyenne 8 cm de plus : en 1995, la taille moyenne des hommes est en effet de 1,70 m et celle des Françaises de 1,62 m.*

Formulez des comparaisons sur les points suivants.

1. La taille moyenne de la population maintenant et il y a cent ans.
   Les gens sont plus grands maintenant qu'il y a cent ans.
ou *La taille moyenne est plus élevée qu'il y a cent ans. Les hommes grandissent.*

2. Le nombre de villes maintenant et au début du siècle.

____

____

3. La durée de vie pour les hommes et les femmes.

____

____

4. La durée de vie des différentes catégories socio-professionnelles.

____

____

5. Le salaire moyen des hommes et des femmes.

____

____

6. Les droits des hommes et des femmes en France dans le domaine du travail.

____

____

7. Le nombre moyen d'enfants par femme dans votre pays et en France.

____

____

8. L'étendue des océans maintenant et il y a deux mille ans.

____

____

9. La durée de la scolarité obligatoire dans votre pays et en France.

____

____

10. Le chant du coq maintenant et il y a cinquante ans.

____

____

Interrogation

8 Interrogation

PARTIR

Oui ? non ? si ?	
Où ?	À quel endroit ? dans quel pays ? dans quelle région ?
Quand ?	À quelle saison ? quel jour ? à quelle heure ?
Combien de temps ?	Combien de jours ? combien de semaines ? combien de mois ? combien d'années ?
Jusqu'à quand ?	Jusqu'à quelle date ?
Comment ?	Par quels moyens ? (en train, en avion...) en pleurant ? en chantant ?
Avec qui ?	Seul ? avec d'autres ? avec combien de personnes ? chez qui ?
Avec quoi ?	Avec quels bagages ? quels objets ?
Pourquoi ?	Pour quelles raisons ?
Pour quoi faire ?	Dans quel but ? avec quelles intentions ?

ATTENDRE

Qui ou quoi ? À quel endroit ? Combien de temps ? Pourquoi ?...

ÉCRIRE

Quoi ? À qui ? En quelle langue ?...

ACHETER

Quoi ? Pour quoi faire ? À quel prix ? ...

PRENDRE UNE PHOTO

De qui ? De quoi ? Sous quel angle ? Pour quelles raisons ?...

REGARDER LA TÉLÉVISION

Quelle émission ? Sur quelle chaîne ? À quelle heure ?...

Continuez avec d'autres verbes.

Écoutez et observez les structures interrogatives.

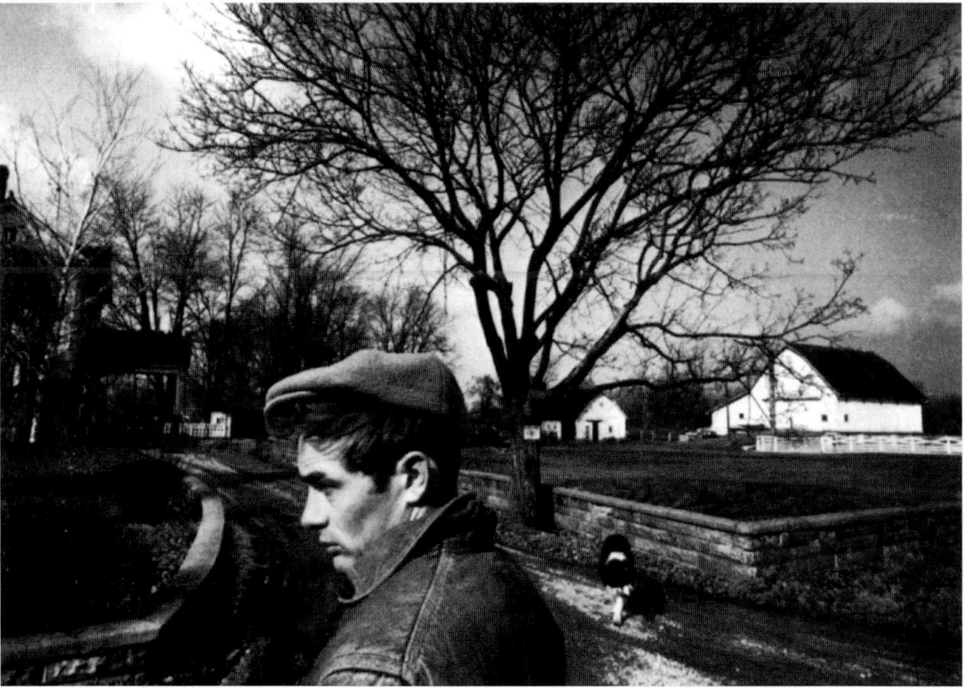

© Magnum pour Dennis Stock

- Qui est cet homme ?
- Comment s'appelle-t-il ?
- Quel âge a-t-il ?
- Avec qui est-il ?
- Est-il triste ? fatigué ? rêveur ? mélancolique ? désespéré ?
- Vit-il dans ce village ?
- Habite-t-il une de ces maisons ?
- Où se trouve ce village ?
- Quel temps fait-il ? En quelle saison cela se passe-t-il ?
- Cet homme vient-il d'ailleurs ? D'où vient-il ?
- Que fait-il là ? Attend-il quelque chose ? quelqu'un ? Cherche-t-il quelque chose ? quelqu'un ?
- A-t-il vu quelque chose ou quelqu'un ?
- À quoi pense-t-il ?
- Pourquoi est-il là ?
- Depuis combien de temps est-il là ?
- Que va-t-il faire ?
- Va-t-il se passer quelque chose ? Que va-t-il se passer ?

Notez les liaisons : vient-il ? Est-il ? Attend-il ?

Entourez les « -t- » (t euphoniques) : comment s'appelle-t-il ? *Après quels verbes les trouve-t-on ?*

INTERROGATION DIRECTE

• QUESTIONS TOTALES

Formulation plus formelle	*Formulation plus familière*
Prenez-vous des vacances ? Votre société ferme-t-elle ?	(Est-ce que) vous prenez des vacances ? (Est-ce que) votre société ferme ?

• QUESTIONS PARTIELLES

Formulation plus formelle	*Formulations plus familières*	
Que décidez-vous ?	Qu'est-ce que vous décidez ?	Vous décidez quoi ?
Où allez-vous ?	Où (est-ce que) vous allez ?	Vous allez où ?
Quand partez-vous ?	Quand (est-ce que vous) partez ?	Vous partez quand ?
Comment voyagez-vous ?	Comment (est-ce que) vous voyagez ?	Vous voyagez comment ?
Avec qui partez-vous ?	Avec qui (est-ce que) vous partez ?	Vous partez avec qui ?
Combien de temps restez-vous ?	Combien de temps (est-ce que) vous restez ?	Vous restez combien de temps ?

INTERROGATION INDIRECTE

Savez-vous... J'aimerais savoir... Dites-moi... Pouvez-vous me dire... Je me demande... Je ne sais pas...	⟶	*si* votre société ferme *si* vous prenez des vacances *ce que* vous décidez *où* vous allez *quand* vous partez *comment* vous voyagez *avec qui* vous partez *combien* de temps vous restez

Formulez les questions avec inversion du sujet au passé composé.

1. Prenez-vous des vacances ? *Avez-vous pris des vacances ?*
2. Votre société ferme-t-elle ? *Votre société a-t-elle fermé ?*
3. Que décidez-vous ? ______
4. Où allez-vous ? ______
5. Quand partez-vous ? ______
6. Comment voyagez-vous ? ______
7. Avec qui partez-vous ? ______
8. Combien de temps restez-vous ? ______

A. *Observez.*

QUESTION AFFIRMATIVE *réponse oui/non*	**QUESTION NÉGATIVE** *réponse si/non*
Vous parlez français ? Oui, je parle français. Non, je ne parle pas français.	Vous ne parlez pas français ? Si, je parle français. Non, je ne parle pas français.
Vous êtes étudiant à Genève ? Oui, à Genève. Non, à Lausanne.	Vous n'êtes pas étudiant à Genève ? Si, je suis étudiant à Genève. Non, à Lausanne.

B. *Répondez personnellement.*

Vous êtes célibataire ? ____________________

Vous n'avez pas de frères et sœurs ? ____________________

Vous étudiez le français en France ? ____________________

Vous ne parlez pas anglais ? ____________________

Vous aimez lire ? ____________________

Vous ne faites pas de sport ? ____________________

Vous n'habitez pas au centre ville ? ____________________

Vous avez une voiture ? ____________________

Vous comprenez l'espagnol ? ____________________

C. *Formulez les questions.*

1. ____________________ ? Si, il est marié.
2. ____________________ ? Oui, elle travaille chez son père.
3. ____________________ ? Non, il est Italien.
4. ____________________ ? Si, elle fume.
5. ____________________ ? Non, nous ne comprenons pas.
6. ____________________ ? Si, c'est lui le directeur.

A. *Formulez les questions comme dans les exemples puis échangez. Corrigez les clichés.*

1. Italiens/parler avec les mains
   Tous les Italiens parlent-ils avec les mains ?
2. Anglais/prendre le thé à 5 heures
   Tous les Anglais prennent-ils le thé à 5 heures ?
3. Espagnols/jouer de la guitare
   ______________________________ ?
4. Suisses/banquiers et ponctuels
   ______________________________ ?
5. Mexicains/dormir devant sa porte sous un grand chapeau
   ______________________________ ?
6. Allemands/être organisés et disciplinés
   ______________________________ ?
7. Irlandais/boire de la bière et manger des pommes de terre
   ______________________________ ?
8. Brésiliens/danser la samba et aimer le football
   ______________________________ ?
9. Japonais/se baigner en famille
   ______________________________ ?
10. Suédoises/être grandes, belles, blondes et libérées
    ______________________________ ?
11. Hollandais/rouler en bicyclette et avoir le sens du commerce
    ______________________________ ?

B. *Reformulez oralement ces questions avec « est-ce que ».*

Est-ce que tous les Italiens parlent avec les mains ?

C. *Vous pouvez reformuler ces questions de façon indirecte.*

- Je me demande *si tous les Italiens parlent avec les mains*
- Je ne sais pas *si...*
- Je voudrais savoir *si...*
- Savez-vous *si...*
- Pouvez-vous me dire *si...*

A. *Observez.*

Qui ?	**Que ? Quoi ?**
• Vous cherchez quelqu'un ? Qui cherchez-vous ? Vous cherchez qui ? Je voudrais savoir qui vous cherchez.	• Vous cherchez quelque chose ? Que cherchez-vous ? Vous cherchez quoi ? Je ne sais pas ce que vous cherchez.
• Vous voulez voir quelqu'un ? Qui voulez-vous voir ? Vous voulez voir qui ? Je vous demande qui vous voulez voir.	• Vous voulez boire quelque chose ? Que voulez-vous boire ? Vous voulez boire quoi ? Je vous demande ce que vous voulez boire.

B. *Complétez comme dans les exemples avec « qui » ou « que ».*

Vous cherchez quelque chose ? Que cherchez-vous ?
Vous voyez quelque chose ? ______________________
Vous fuyez quelqu'un ? ______________________
Vous regrettez quelqu'un ? ______________________
Vous comprenez quelque chose ? ______________________
Vous voulez dire quelque chose ? ______________________
Vous devez payer quelqu'un ? ______________________
Vous voulez faire quelque chose ? ______________________
Vous aimez quelqu'un ? ______________________
Vous appelez quelqu'un ? ______________________

C. *Reformulez comme dans les exemples en allant du plus formel au moins formel.*

Plus formel	**Plus familier**	
Que cherchez-vous ?	*Qu'est-ce que vous cherchez ?*	*Vous cherchez quoi ?*
Que bois-tu ?	______________	______________
Que fait-on ce soir ?	______________	______________
Que veulent-ils ?	______________	______________
Qui attends-tu ?	*Qui est-ce que tu attends ?*	*Tu attends qui ?*
Qui veux-tu inviter ?	______________	______________
Qui connaissez-vous ?	______________	______________

Formulez des questions avec « quel... » comme dans l'exemple.

1. **PIERRE**

Quelle est *la nationalité* de Pierre ?	Pierre est américain.
Quelles langues parle-t-il ?	Il parle anglais et allemand.
Quelle langue comprend-il ?	Il comprend l'italien.
Dans *quel pays* vit-il ?	Il vit en Allemagne.

2. **MARIA**

______________________	Maria vit en France.
______________________	Elle vient d'Espagne.
______________________	De Barcelone.
______________________	Elle a 20 ans.
______________________	Elle est avocate.

3. **JACQUES**

______________________	Jacques adore les films policiers.
______________________	Il va au cinéma le vendredi.
______________________	à la séance de 20 heures.

4. **CHRISTIAN**

______________________	Christian fait du football.
______________________	Il joue dans l'équipe de son université.
______________________	Il a un excellent niveau.

5. **ARLETTE**

______________________	Arlette se présente aux élections municipales.
______________________	Contre le candidat R.P.R.
______________________	Elle n'a aucune chance d'être élue.
______________________	Elle est écologiste.

A. *Lisez et observez.*

– Sa fille se marie.
– Quelle fille ?
– La plus jeune.
– Avec qui ?
– Avec un fils Rocher.
– Quel fils ?
– Le plus vieux !

– Sa fille se marie.
– Laquelle ?
– La plus jeune.
– Avec qui ?
– Avec un fils Rocher.
– Lequel ?
– Le plus vieux !

	MASCULIN	FÉMININ	MASCULIN	FÉMININ
SINGULIER	quel ... ?	quelle... ?	lequel ?	laquelle ?
PLURIEL	quels... ?	quelles ... ?	lesquels ?	lesquelles ?

B. *Complétez les dialogues avec les formes qui conviennent.*
Puis écoutez et vérifiez vos réponses.

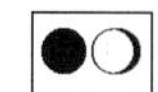

Bonne volonté

–Tu peux m'aider à mettre le couvert ?
–Volontiers ! Je mets une nappe ?
– Oui.
– ________________ ?
–La jaune, elle est dans l'armoire.
–Dans ________________ armoire ?
–Dans l'armoire de ma chambre.
–Je mets ________________ assiettes ?
–Les blanches.
–Et comme verres ?
je mets ________________ ?
–Les verres à pied.
–Les petits ou les grands ?
–Les deux.
–Où sont les couverts ?
–Dans le tiroir de la table.
–De ________________ table ?
–De la table de la cuisine.
–Voilà j'ai fini.
–Merci infiniment.

Curiosité

–________________ jour tu pars ?
–Mardi.
–Seule ?
–Non, avec une amie.
–________________ amie ?
–Tu ne la connais pas.
–Tu emmènes les tableaux ?
–Oui.
– ________________ ?
–Les portraits.
–Tu as rendez-vous dans une galerie ?
–Oui.
–________________ galerie ?
–Tu ne la connais pas.
–Encore une question.
–________________ question ?
–Tu n'aimes pas les questions ?
–Devine !

A. *Lisez le dialogue à deux puis reprenez-le avec une formulation plus familière.*

– Comment est-il ?	– Il est comment ?
– Il est grand et maigre.	– Il est grand et maigre.
– Comment s'habille-t-il ?	– Il ______________
– Toujours en noir.	– Toujours en noir.
– Comment se déplace-t-il ?	– Il ______________
– En moto, généralement.	– En moto, généralement.
– Comment s'exprime-t-il ?	– Il ______________
– De façon très courtoise.	– De façon très courtoise.
– Comment vit-il ?	– Il ______________
– De façon simple.	– Il vit de façon simple.

B. *Formulez des questions avec les verbes et sujets proposés et proposez quelques réponses.*

Exemples :

- Se déplacer/les gens : *Comment les gens se déplacent-ils ? De quelle manière les gens se déplacent-ils ?*
  À pied, en voiture, en avion, à vélo…
- Discuter de politique/vos compatriotes : *De quelle manière vos compatriotes discutent-ils de politique ?*
  De façon courtoise, poliment, avec passion, brutalement, avec rudesse…
- Se faire comprendre/les bébés : *Comment les bébés se font-ils comprendre ?*
  En pleurant, en souriant, en criant…

1. Avoir de l'argent de poche/les jeunes : ______________________________

____

____

2. Dormir/les gens : ______________________________

____

____

3. Résoudre leurs problèmes/les gens : ______________________________

____

____

4. Inventer/inventeurs : ______________________________

____

____

5. Gouverner/chefs d'État : ______________________________

____

____

A. *Complétez.*

CHEZ LE MÉDECIN

médecin	– Combien mesurez-vous ?
patient	– 1,78 m.
médecin	– ______________________________ ?
patient	– 60 kg.
médecin	– Vous fumez beaucoup ?
patient	– Oui.
médecin	– ______________________________ ?
patient	– Deux.
médecin	– __________________________ par nuit ?
patient	– cinq ou six heures.
médecin	– Bon, vous allez prendre ces pilules.
patient	– ______________________________ ?
médecin	– Trois fois par jour, à l'heure des repas.
patient	– ______________________________ ?
médecin	– Pendant un mois, puis vous reviendrez me voir.

B. *Formulez des questions avec combien.*

QUESTIONS À UN EMPLOYÉ D'UNE COMPAGNIE D'AVIATION

1. Nombre de vols par jour	Combien de vols par jour y a-t-il ?
2. Durée du vol	______________________
3. Nombre de places dans l'avion	______________________
4. Nombre d'escales	______________________
5. Nombre de repas servis	______________________
6. Durée des escales	______________________
7. Nombre d'hôtesses	______________________
8. Nombre de personnes sur la liste d'attente	______________________
9. Prix du voyage	______________________
10. Nombre d'issues de secours dans l'avion	______________________

☞ combien de, 170

Où, d'où, par où ? ➤➤ *Entraînement*

Lisez. Formulez les questions par écrit dans un registre formel puis reprenez les questions et les réponses sous forme de dialogue dans un registre plus familier.

1. *Où va-t-on ?* On va au cinéma.
   Où a-t-on rendez-vous ? On a rendez-vous devant le cinéma.

2. ______________________ Il revient de chez son amie
   ______________________ et il va à la Fac.

3. ______________________ Elle est de Nice
   ______________________ et elle habite à Marseille.

4. ______________________ Le bus part de la gare
   ______________________ puis il passe par le centre ville.

5. ______________________ On prend l'avion à Bruxelles
   ______________________ et on fait escale à Madrid.

6. ______________________ La manifestation se forme devant la gare
   ______________________ elle passe devant la préfecture
   ______________________ et se disperse devant la mairie.

Lisez ce texte silencieusement puis à haute voix.

Pourquoi ? Mais enfin pourquoi ? Pourquoi ne pouvez-vous jamais éteindre la lumière ou fermer une porte quand vous quittez une pièce ?

Pourquoi ne remettez-vous jamais un dictionnaire ou un annuaire à leur place après les avoir consultés ? Pourquoi faites-vous disparaître régulièrement les crayons, pointes Bic et blocs de papier que nous plaçons à côté du téléphone ou dans la cuisine pour y noter les messages à ne pas oublier, la liste des choses à acheter ?

Pourquoi ne remplacez-vous jamais un rouleau de papier terminé sans vous soucier du prochain occupant ?

Pourquoi jetez-vous vos blousons et vos manteaux sur les meubles au lieu de les accrocher au porte-manteau ?

Pourquoi laissez-vous vos vêtements à même le sol en vous déshabillant […] ?

Pourquoi perdez-vous NOS lunettes de soleil ou NOS gants de ski sans même prendre la peine de nous prévenir, si bien que nous nous apercevons de ce qui NOUS manque au moment où nous en avons l'usage ?

Pourquoi votre carte d'identité et votre passeport disparaissent-ils régulièrement, suivis du livret de famille que l'on vous confie pour les faire refaire ? […]

Pourquoi oubliez-vous la clef de la porte d'entrée quand vous rentrez à deux heures du matin et que nous sommes obligés d'aller vous ouvrir au beau milieu de notre sommeil. Ce n'est pourtant pas faute d'avoir dit, répété, ressassé, rabâché, réitéré sur tous les tons : « N'oublie pas, range !… Range, n'oublie pas ! »

Moi, ta mère, de Christiane Collange,

8
Interrogation

☞ pourquoi, 92

1. – Vous habitez chez vos parents ?
– ______
– Vous vivez seule ?
– ______
– Vous m'invitez à prendre un verre chez vous ?
– ______

2. – Qu'est-ce qui t'arrive ? Pourquoi tu pleures ?
– ______
– Elle est où ta maman ?
– ______
– Et ton papa, il est où ?
– ______
– Tu t'appelles comment ?
– ______

3. – Qu'est-ce que c'est que ça ?
– ______
– Ça sert à quoi ?
– ______
– C'est en quoi ?
– ______
– Ça marche comment ?
– ______
– Ça coûte cher ?
– ______
– Ça coûte combien ?
– ______
– Ça dure longtemps ?
– ______

4. – C'était bien ?
– ______
– Vous avez bien mangé ?
– ______
– Vous étiez combien ?
– ______
– Tu étais près de qui ?
– ______
– Vous avez parlé de quoi ?
– ______
– Tu es rentré comment ?
– ______
– Et avec qui ?
– ______
– Tu le/la trouves comment ?
– ______

Qui parle à qui ? Où ? Quand ? Pourquoi ? Imaginez des situations et des dialogues. Jouez-les, comparez-les.

5. – Ça s'est passé où et quand ?
– ______
– À quelle heure ?
– ______
– Ils étaient combien ?
– ______
– Ils étaient comment ?
– ______
– Qu'est-ce qu'ils vous ont pris ?
– ______

6. – Comment allez-vous ?
– ______
– Où avez-vous mal ?
– ______
– Depuis combien de temps ?
– ______
– Cela vous arrive souvent ?
– ______
– Cela vous est arrivé quand la première fois ?
– ______
– Que prenez-vous comme médicaments ?
– ______

7. – ______
– Pour combien de nuits ?
– ______
– Pour combien de personnes ?
– ______
– Je réserve à quel nom ?
– ______

8. – Pourquoi elles volent, les mouches ?
– ______
– Et les poissons pourquoi ils ne volent pas ?
– ______

Retrouvez les questions manquantes dans les dialogues qui suivent.

1. – Je vais jouer dans un film.
– ______________________________?
– Si !
– ______________________________?
– Cette année.
– ______________________________?
– Dans un film policier.
– ______________________________?
– Le rôle du méchant.
– ______________________________?
– Avec un metteur en scène inconnu.
– ______________________________?
– À Hollywood.

2.
– Je vais apprendre une langue.
– ______________________________?
– L'italien.
– ______________________________?
– Avec un professeur particulier.
– ______________________________?
– À Rome.
– ______________________________?
– Le mois prochain.
– ______________________________?
– Trois mois.

3.
– J'ai loué un appartement.
– ______________________________?
– Pour toute l'année.
– ______________________________?
– Un grand appartement.
– ______________________________?
– Au centre ville.
– ______________________________?
– De cinq pièces.
– ______________________________?
– Pas trop cher.

4.
– J'ai acheté une moto.
– ______________________________?
– Une grosse moto.
– ______________________________?
– Rouge.
– ______________________________?
– Pour me balader.
– ______________________________?
– Partout.

5.
– Je vais me remarier.
– ______________________________?
– Une étrangère.
– ______________________________?
– D'une trentaine d'années.
– ______________________________?
– Chilienne.
– ______________________________?
– Pour toujours.

6.
– Vous entendez ?
– ______________________________?
– Ce bruit.
– ______________________________?
– Derrière la porte.
– ______________________________?
– Je ne sais pas, j'ai peur.

7.
(On entend frapper à la porte)
– ______________________________?
– C'est moi !
– ______________________________?
– Moi, Stéphane.
– ______________________________?
– Je veux te parler.

Négation

A Paramaribo

Il n'y a rien à craindre
Il n'y a personne
Nulle part
Pas un piéton, pas un cycliste,
pas une voiture, pas un enfant
Ni à gauche, ni à droite
Aucun bruit, aucun cri, aucune voix,
Aucun bruissement d'aile
On n'entend que le vent de temps en
temps qui pousse une feuille.
Jamais personne ne semble avoir
habité ce lieu.

A. *Entendez-vous la première partie de la négation « ne » : oui ? non ? Cochez la case correspondante.*

	OUI	NON
Je ne la connais pas		
Ça ne sert à rien		
Elle ne parle pas beaucoup		
Ils n'habitent pas ici		
Ce n'est pas très grave		
Tu n'as pas de voiture ?		
Je n'ai pas faim		
Nous ne sommes pas au courant		
Vous n'avez pas le temps		
Tu ne m'accompagnes pas ?		

B. *Écoutez les deux prononciations.*

PLUS FORMEL	**PLUS FAMILIER** (formes orales uniquement)
Je n'aime pas	J'aime pas
Je ne crois pas	J'crois pas
Je ne peux pas	J'peux pas
Je ne sais pas	J'sais pas
Je n'entends pas	J'entends pas
Je ne comprends pas	J'comprends pas
Je ne trouve pas	J'trouve pas
Je ne pense pas	J'pense pas
Je n'oublie pas	J'oublie pas
Je ne veux pas	J'veux pas

C. *Écoutez le poème et écrivez-le.*

Observez les différentes constructions négatives de la page.

Formes négatives

- ne… pas (du tout)
- ne… plus
- ne… jamais
- ne… rien, rien ne…
- ne… personne, personne ne…
- ne… que
- ne… nulle part
- ne… aucun, aucun… ne…
- ni… ni…

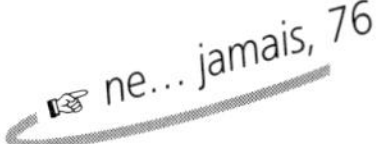

Syntaxe de la phrase négative

1 verbe forme simple	1 verbe forme composée
Je **n'**oublie **pas** Je **n'**oublie **plus** Je **n'**oublie **rien** Je **n'**oublie **jamais** Je **n'**oublie **personne** Je **n'**oublie **aucune** question	Je **n'**ai **pas** oublié Je **n'**ai **plus** oublié Je **n'**ai **rien** oublié Je **n'**ai **jamais** oublié Je **n'**ai oublié **personne** Je **n'**ai oublié **aucune** question
2 verbes	**avec l'infinitif**
Je **ne** veux **pas** oublier Je **ne** veux **plus** oublier Je **ne** veux **rien** oublier Je **ne** veux **jamais** oublier Je **ne** veux oublier **personne** Je **ne** veux oublier **aucune** question	Il est important de **ne pas** oublier Il est important de **ne plus** oublier Il est important de **ne rien** oublier Il est important de **ne jamais** oublier Il est important de **n'**oublier **personne** Il est important de **n'**oublier **aucune** question

Remarque :

- L'interrogation ne change pas l'ordre de la négation.
  Le train n'est pas en retard. → *Le train n'est-il pas en retard ?*
- Dans la langue orale familière la première partie de la négation « ne » n'est généralement pas prononcée.
  Je ne comprends rien. → *Je ~~ne~~ comprends rien.*

9 Négation

A. *Définissez par des phrases négatives.*

☞ ne... pas, 7, 15

Quelqu'un de sobre : *Il ne boit pas.*

Un chômeur : *Il ne travaille pas.*

Un immigré : *Il n'habite pas dans son pays.*

1. Un végétarien : ______
2. Un analphabète : ______
3. Un timide : ______
4. Un insomniaque : ______
5. Un alcoolique : ______
6. Un veilleur de nuit : ______
7. Un abstentionniste : ______
8. Un boulimique : ______

B. *Répondez en atténuant la réalité.*

C'est laid — *En effet ce n'est pas très beau.*

Il est sourd — *Oui, c'est vrai, il n'entend pas très bien.*

1. C'est stupide ______
2. Il est timide ______
3. Il est triste ______
4. C'est sale ______
5. Il est mou ______
6. Elle a un caractère de cochon ______
7. Il est vieux ______
8. Il est paresseux comme une couleuvre ______
9. Elle est avare ______
10. Il est agressif ______
11. C'est horrible ! ______
12. C'est infect ! ______

A. *Complétez les conseils.*

Pour ne pas dormir au volant, bois encore un café.

1. Pour ______________________, regarde où tu mets les pieds.
2. Pour ______________________, fais une liste.
3. Pour ______________________, partons tout de suite.
4. Pour ______________________, mets un pull.
5. Pour ______________________, attends-le devant sa classe.
6. Pour ______________________, il faut travailler beaucoup.
7. Pour ______________________, je recompte tout.
8. Pour ______________________, ne lui annonce pas la nouvelle maintenant.

B. *Reformulez ces phrases avec « je te conseille de… ».*

C. *Voici des panneaux que l'on peut lire dans des lieux publics :*

INTERDICTION DE FUMER

Défense de fumer

Il est demandé de ne pas fumer

VEUILLEZ NE PAS FUMER

Il est recommandé de ne pas fumer

MERCI DE NE PAS FUMER

Prière de ne pas fumer

À votre tour imaginez les panneaux d'interdiction que vous aimeriez voir figurer…

DANS UN PARC	DANS UNE ÉCOLE
DANS L'ENTRÉE D'UN IMMEUBLE	**DANS UN STADE**

A. *Lisez.*

SUJET	COMPLÉMENT
PRÉSENT	
INCOGNITO Personne ne le reconnaît Personne ne le remarque Personne ne s'intéresse à lui Aucun passant ne le regarde	MISANTHROPE Il n'aime personne Il ne parle à personne Il ne veut voir personne Il n'accepte aucune invitation
INTRÉPIDE Rien ne lui fait peur Rien ne l'arrête Rien ne l'intimide Aucun danger ne peut l'arrêter	DÉPRESSIF Il ne mange rien Il ne dit rien Il ne s'intéresse à rien Il ne veut rien faire Il n'a aucun projet, aucun désir
PASSÉ COMPOSÉ	
UN SPECTACLE COMIQUE RATÉ Rien n'a fait rire les spectateurs Personne n'a applaudi Personne n'a aimé Aucun acteur n'a été apprécié Aucune situation n'a amusé le public	UN TÉMOIN PEU BAVARD Il n'a rien vu Il n'a rien entendu Il n'a vu personne Il n'a entendu personne Il n'a rien voulu dire Il n'a voulu dénoncer personne

« Personne » et « rien » ont-ils toujours la même place dans les phrases ? Quelle est la place de « rien » et de « personne » ?

☞ négation, 219

B. *Transformez oralement ces courts textes du présent au passé composé et du passé composé au présent.*

Exemple :
INCOGNITO *Personne ne l'a reconnu…*

Complétez comme dans l'exemple.

Tout le monde a cherché la réponse
mais (*trouver*) … *personne ne l'a trouvée.*

1. On a envoyé une convocation à tout le monde
mais (*recevoir*) ______________________

2. J'ai trouvé un porte-monnaie le mois dernier
mais (*réclamer*) ______________________

3. Les enfants ont fait du bruit en revenant
mais (*entendre*) ______________________

4. Il a payé pour tout le monde
mais (*rembourser*) ______________________

5. Elle était à l'inauguration
mais (*voir*) ______________________

6. Il a sonné dix fois
mais (*répondre*) ______________________

7. Il a exposé ses tableaux pendant un mois
mais (*acheter*) ______________________

8. Le professeur avait donné un exercice à faire
mais (*faire*) ______________________

ATTENTION À L'ACCORD DU PARTICIPE PASSÉ !

☞ accord, 65

A. *Bonne ou mauvaise nouvelle ? Classez les phrases.*

☞ ne... plus, 176

• Il n'a plus mal • On n'a plus d'argent • Je ne maigris plus • Vous ne faites plus partie de notre personnel • Il ne pleut plus • Elle ne divorce plus • Elle n'a plus de travail • Elle ne fume plus • La télé ne marche plus • Je ne tousse plus • Il ne t'aime plus • Il ne chante plus • Elle n'a plus peur • Il n'est plus en prison.

Bonnes nouvelles	Mauvaises nouvelles	Bonnes ou mauvaises nouvelles ça dépend !

B. *Quel a été à votre avis l'événement le plus important dans la vie des femmes en France au XXe siècle ? Échangez vos points de vue.*

1. Depuis 1945, l'isoloir n'est plus un lieu réservé aux hommes, les femmes votent aussi.
2. Depuis 1959, elles ne lavent plus le linge à la main, la machine à laver s'en charge.
3. Depuis 1959, le matin elles ne préparent plus le café, la cafetière électrique le fait toute seule.
4. Depuis 1965, les femmes ne sont plus obligées de demander l'autorisation de leur mari pour ouvrir un compte en banque.
5. Depuis 1969, la grande école Polytechnique n'est plus interdite aux femmes.
6. Depuis 1969, voir un bébé avant la naissance n'est plus un rêve grâce à l'échographie.
7. Depuis 1975, l'avortement n'est plus interdit.
8. Depuis 1980, l'Académie française n'est plus fermée aux femmes. Marguerite Yourcenar a été la première femme à y entrer.
9. Depuis 1980, grâce au robot, au congélateur et aux plats cuisinés congelés, préparer la cuisine ne dure plus aussi longtemps.
10. Depuis 1982, la stérilité n'est plus insurmontable, le premier bébé éprouvette, Amandine, est né.

A. *Complétez librement en utilisant ne... que.*

Il ne dort pas beaucoup. *Il ne dort que 5 heures par jour.*

Il mange très peu. *Il ne prend qu'un seul repas par jour.*

1. Ils sont petitement logés. ______________________
2. Il a un petit salaire. ______________________
3. C'est un petit parti politique. ______________________
4. Je ne prends pas beaucoup de vacances. ______________________
5. Il n'a pas une grande expérience. ______________________
6. Elle voit très peu ses enfants. ______________________
7. Il n'est pas très diplômé. ______________________
8. Ce village est mal desservi. ______________________

B. *Complétez en utilisant ne... que.*

AVANT, MAINTENANT

Avant on écrivait sur les murs, on ne colle des affiches que depuis le XVe siècle.

1. Avant, en France, il y avait six à huit enfants par famille, maintenant (un ou deux)
____

2. Maintenant l'école est obligatoire jusqu'à 16 ans, avant (12 ans) ______________________

3. Avant on travaillait jusqu'à 50 heures par semaine, maintenant depuis 1981 (39 heures) ______________________

4. Au début du siècle, on mettait plus de 30 heures pour traverser l'Atlantique en avion, maintenant avec le concorde (3 heures environ) ______________________

5. Maintenant on peut passer son permis de conduire à 18 ans, avant (21 ans) ______________________

6. Au début du XXe siècle l'électricité est entrée dans les maisons françaises, avant (bougies) ______________________

Écoutez les réponses.

Est-ce que vous pouvez…

Entrer sans frapper ?
Dormir sans fermer les yeux ?
Avaler sans mâcher ?
Parler sans réfléchir ?
Traverser sans regarder ?
Conduire sans permis ?
Remercier sans sourire ?
Sortir sans payer ?
Mentir sans rougir ?
Attendre sans vous énerver ?
Dormir sans ronfler ?
Vous fâcher sans crier ?
Traduire sans dictionnaire ?
Fermer un œil sans fermer l'autre ?
Pleurer sans larmes ?
Ouvrir une bouteille sans tire-bouchon ?
Manger sans vous tacher ?
Partir sans dire au revoir ?

Échangez. Donnez quelques précisions.

Exemples :

« J'entre toujours dans les toilettes sans frapper. »

« Ça m'est arrivé une seule fois de sortir sans payer d'un restaurant, mais ça ne m'arrivera pas deux fois. »

A. *Lisez.*

Un voleur efficace

Personne ne le voit
Il ne fait aucun bruit
On ne l'entend pas
Pas une porte ne lui résiste
Il n'a pas de scrupules
Rien ne l'arrête
Il n'a peur de rien
Il ne laisse aucune trace

Une ville triste

Il n'y a pas d'arbres
Aucun oiseau ne chante
Il ne fait jamais beau
Les maisons ne sont pas fleuries
Personne ne se parle
On n'entend aucun rire d'enfant
Il n'y a pas de couleurs sur les murs
Il ne se passe rien

B. *À votre tour, en utilisant plusieurs constructions négatives différentes, décrivez :*

- un pays ou une famille triste.
- un film, un livre ou une soirée ennuyeuse.
- un restaurant, un hôtel, un parent, un professeur, un élève, un conjoint, un médecin, un conférencier… qui ne donne pas satisfaction.

Sempé, *Quelques forces obscures,* © by Éditions Denoël

Où se passe l'histoire ? • Est-ce un quartier animé, bruyant ? • Il y a de la circulation, des passants ? • En quelle saison se passe cette scène en automne, en hiver ? • À quoi le voyez-vous ? • Quel temps fait-il le premier jour ? • Le deuxième ? • Et le troisième jour, il pleut encore ? • Le facteur a-t-il du courrier pour la dame, des lettres, des cartes postales, des mandats, des paquets, des journaux... ? • Est-ce que quelqu'un lui écrit ? • Que lui dit le facteur le premier jour, le deuxième jour, le troisième jour ? • Et le quatrième jour que se passe-t-il ? • La dame attend-elle le facteur comme d'habitude ? • Pourquoi ? • Que fait le facteur ? • Que lui dit-il ?

Répondez oralement ou par écrit aux questions suivantes en utilisant le maximum de négations dans vos réponses, puis écoutez.

A. *Mettez au passé composé.*

1. Je ne le vois plus depuis cet été. ____________
2. Il ne voyage pas souvent en avion. ____________
3. Vous ne reconnaissez personne ? ____________
4. Je ne lui téléphone pas. ____________
5. Nous ne buvons jamais de café le soir. ____________
6. Les enfants ne veulent pas sortir. ____________
7. Il n'aime que toi. ____________
8. Tu ne vas pas travailler ? ____________
9. Elle ne veut peut-être pas te faire de la peine. ____________
10. Cela ne me gêne pas du tout. ____________

☞ place de l'adverbe, 73

B. *Dites le contraire.*

1. J'ai toujours vécu en Europe : ____________
2. J'ai besoin d'une voiture : ____________
3. J'ai quelque chose à faire ici : ____________
4. Je m'amuse beaucoup : ____________
5. Il est déjà de retour : ____________
6. Je veux encore le revoir avant son départ : ____________
7. J'ai eu toujours de la chance dans la vie : ____________
8. Tu as entendu quelque chose ? : ____________
9. Quelqu'un a téléphoné ? : ____________
10. Tu veux encore un peu de gâteau ? : ____________

C. *Dictée.*

Expression du lieu

La vie dort
Sous la terre
En hiver

Le sol craque
Dans les champs
Au printemps

Il y a de l'or
Sur les blés
En été

Les oiseaux
M'abandonnent
C'est l'automne

10
Où ?

A. *Lisez et soulignez les différentes marques de lieu.*

OÙ HABITEZ-VOUS ? OÙ VIVEZ-VOUS ?

- Dans quel continent ? En Asie ? En Afrique ? En Europe ? En Amérique ? En Océanie ?
- Dans quel pays ? En France ? En Pologne ? En Italie ? En Espagne ? Au Danemark ? Aux Pays-Bas ? À Monaco ?
- Dans quelle région ? Dans le Nord ? Dans le Sud ? Dans l'Est ? Dans l'Ouest ? Dans le Sud-Ouest ? Dans le Sud-Est ?
- À la campagne ? Dans une ville ? Dans un village ?
- Dans une grande ville ? Dans une petite ville ? Dans une ville moyenne ?
- En ville ? Dans la banlieue ?
- Au centre ville ? Dans les quartiers périphériques ?
- Dans quel quartier ? Le quartier de la gare ? Le quartier de la poste ? Le quartier du musée ? Le quartier de l'hôpital ?
- Dans quelle rue ? Sur quelle place ?
- À quel étage ? Au rez-de-chaussée ? Au premier étage ? Au deuxième étage ? Au dernier étage ?
- À droite ? À gauche ?

B. *Dictée.*

____

____

____

____

____

C. *Entraînez-vous à poser ces questions et à y répondre.*

A. *Observez la construction des verbes.*

VERBE + À / EN	VERBE + DE...	VERBE + PAR	VERBE + G. NOMIN.
Aller en France Arriver à Paris Atterrir au Canada Émigrer aux États-Unis Être Faire étape Faire un séjour Habiter Passer (Re)partir Rester Retourner Revenir Séjourner Venir Vivre	Arriver de France Décoller de Paris Partir d'Espagne Revenir du Canada Sortir des États-Unis	Passer par la France	Quitter la France Survoler Paris Traverser le Canada

B. *Complétez ce dialogue entre journalistes avec les prépositions qui conviennent.*

– Tu arrives ou tu pars ?
– Je reviens ______ Maroc et je repars demain ______ Vietnam.
– Tu pars ______ Paris ?
– Non, je pars ______ Genève.
– Tu passes ______ où ?
– Je ne sais pas, je sais qu'on fait escale ______ Delhi.
– Tu reviens quand ______ Vietnam ?
– J'y reste une semaine mais au retour je m'arrête ______ Turquie.
– Pour le boulot ?
– Non ! Vacances ! Mais je serai de retour ______ Paris à la fin du mois.

☞ pays, 125

C. *Complétez librement ce programme de voyage avec des noms de villes ou de pays.*

Nous partirons ______________ le 10,
nous décollerons à 16 heures de l'aéroport ______________,
nous survolerons ______________,
nous ferons escale ______________,
nous repartirons ______________ quelques heures plus tard,
et nous atterrirons ______________ en fin de journée,
nous y passerons la nuit et nous en repartirons le lendemain matin.

Devinettes : Que remplace « y » dans les phrases suivantes ?

1. On y achète le pain. *à la boulangerie/dans une boulangerie*
2. On s'y allonge et on y dort. ____________________
3. On y vend des cigarettes. ____________________
4. On vous y conduit quand vous êtes blessé. ____________________
5. On y trouve les numéros de téléphone des abonnés. ____________________
6. En France on y va obligatoirement jusqu'à 16 ans. ____________________
7. On s'y plonge avec plaisir quand elle n'est pas trop froide. ____________________
8. On n'aime pas y aller mais on doit y aller. ____________________
9. Les poissons y sont bien. ____________________
10. Vous ne pouvez pas y entrer avec vos chaussures. ____________________
11. Des hommes y sont allés pour la première fois en 1969. ____________________
12. Quand on vous y conduit, vous n'en sortez plus jamais. ____________________
13. Les hommes qui y sont partis n'en sont malheureusement pas tous revenus. ____________________
14. Tous les bébés éléphants y ont passé environ deux ans. ____________________

Lisez et soulignez toutes les expressions de localisation.

Photo Roger Pic

Décor

Une place dans une petite ville de province. Au fond, une maison composée d'un rez-de-chaussée et d'un étage. Au rez-de-chaussée, la devanture d'une épicerie. On y entre par une porte vitrée qui surmonte deux ou trois marches. Au-dessus de la devanture est écrit en caractères très visibles le mot: «ÉPICERIE». Au premier étage, deux fenêtres qui doivent être celles du logement des épiciers. L'épicerie se trouve donc dans le fond du plateau, mais plutôt à gauche, pas loin des coulisses. On aperçoit au-dessus de la maison de l'épicerie, le clocher d'une église, dans le lointain. Entre l'épicerie et le côté droit, la perspective d'une petite rue. À droite, légèrement en biais, la devanture d'un café. Au-dessus du café, un étage avec une fenêtre. Devant la terrasse de ce café: plusieurs tables et chaises s'avancent jusque près du milieu du plateau. Un arbre poussiéreux près des chaises de la terrasse. Ciel bleu, lumière crue, murs très blancs. C'est un dimanche, pas loin de midi, en été. Jean et Béranger iront s'asseoir à une table de la terrasse [...]. Lorsque le rideau se lève, une femme, portant sous un bras un panier à provision vide et sous l'autre un chat, traverse en silence la scène, de droite à gauche.

Ionesco, *Rhinocéros,* © Gallimard, 1958.

Souvenez-vous ou imaginez des lieux de rendez-vous.

Rendez-vous devant...
devant la grille du zoo.
devant l'hôtel de police.

Rendez-vous en haut de...
en haut de la statue de la liberté.
en haut du téléphérique de la piste noire.

1. Rendez-vous au coin de... ____________________
2. Je te retrouve sous... ____________________
3. On se donne rendez-vous près de... ____________________
4. Rejoins-moi derrière... ____________________
5. Retrouvons-nous au bout de... ____________________
6. Attendons-nous à l'entrée de... ____________________
7. Je t'attendrai chez... ____________________
8. Rendez-vous sur le bord de... ____________________
9. On peut se donner rendez-vous en face à... ____________________
10. On se retrouve dans... ____________________
11. ____
12. ____
13. ____
14. ____
15. ____

PRÉPOSITIONS ET LOCUTIONS DE LIEU

À... • À l'intérieur de... • À l'entrée de... • À l'extérieur de... À l'arrière de... • À travers... • Au bout de... • Au bout de... Au centre de... • Au coin de... • À droite de... • À gauche de... • Au-dessous de... • Au-dessus de... • Au fond de... • Au milieu de... • Au pied de... • Aux environs de... • Chez... Contre... • Dans... • Derrière... • Devant... • En... • En bas de... • En dehors de... • En face de... • En haut de... • En travers de... • Entre... • Loin de... • Par... • Parmi... • Près de... Sous... • Sur... • Sur le bord de... • Vers...

A. *Lisez ces expressions imagées. Que signifient-elles ?*

Être dans la lune
Être dans les nuages
Ne pas être dans son assiette
Mettre les pieds dans le plat

Agir contre vents et marées

Avoir une idée derrière la tête

Être devant un mur

Être assis entre deux chaises

Avoir le cœur sur la main
Avoir la tête sur les épaules
Avoir un mot sur le bout de la langue

Vouloir rentrer sous terre

Être au fond du trou

Aller aux quatre coins du monde

Être au bout du rouleau

B. *Composez de courts textes en utilisant des prépositions de lieu comme dans ces quelques exemples.*

ORDRE
Les clés dans les serrures
Les pieds dans les chaussures

DÉSORDRE
Les clés dans les chaussures
Les pieds dans les serrures

ORDRE
Les oiseaux dans leurs nids
Et les points sur les « i »

PRISON
Des clés dans des serrures
Des hommes derrière des murs

SOUVENIRS
Des mots dans la mémoire
Des photos dans un tiroir

MÉLANCOLIE
Des larmes au coin des yeux
Un chat au coin du feu

MIROIR
Moi en face de moi
Face à face, moi et moi

A. *Lisez, observez la construction relative.*

PROMENADE SOUVENIR À TRAVERS UNE VILLE

« Voilà le quartier où j'ai vécu toute mon enfance.
Voilà la clinique où je suis né.
Voilà la pharmacie où travaillait mon père.
Voilà l'école où j'ai appris à lire.
Voilà le café où j'ai vu ta mère pour la première fois.
Voilà le jardin public où je lui donnais rendez-vous.
Voilà la place où je faisais du patin à roulettes.
Voilà la boulangerie où j'achetais des bonbons.
Voilà l'église où tes grands-parents se sont mariés.
Voilà le restaurant où nous allions le dimanche.
Voilà le cinéma où j'ai vu mon premier film.
Voilà la maison où nous habitions. »

B. *Imaginez une autre promenade souvenir à travers les pièces d'une maison, dans un jardin, dans une ville ou dans un village, à la campagne, au bord de la mer… Choisissez un lieu et le personnage qui parle.*

Expression du temps

Je vous attends Madame
Depuis un certain temps
Il y a vraiment longtemps
Madame que j'attends
Et pendant tout ce temps
Tout ce long temps passé
Tout ce temps égrené
Tout ce temps enduré
Le savez-vous Madame
Que vous avez été
Tout ce temps espérée ?
Mais il y a tant de temps
Madame que j'attends
Que si un jour venait où
Vous me reveniez
Je le regretterais
Ce temps où j'attendais

A. *Complétez le tableau.*

HIER ⟶	AUJOURD'HUI ⟶	DEMAIN
hier matin	ce matin	demain matin
hier après-midi	cet après-midi	________
hier soir	________	demain soir
la semaine dernière	________	la semaine prochaine
________	ce mois-ci	________
l'hiver dernier	________	________
________	________	l'année prochaine
la nuit dernière	________	________

B. *Créez de courts dialogues à partir des phrases complétées.*

On sort ______ soir ?

– *On sort ce soir ?*
– *Si tu veux.*

1. Tu es libre ______ après-midi ?
2. Tu es occupé(e) ______ jours-ci ?
3. Vous avez quel âge ______ année ?
4. Vous allez skier ______ hiver ?
5. Tu fais quoi ______ matin ?
6. Vous prenez des vacances ______ été ?
7. Vous partez ______ week-end ?
8. Vous travaillez encore ______ nuit ?
9. Il y a des vacances ______ mois-ci ?
10. On va au cinéma ______ semaine ?
11. Tu passes un examen ______ trimestre ?
12. Il a beaucoup plu ______ automne ?

C. *Écoutez les dialogues.* 

Allez-vous

- Régulièrement
  Tous les jours/chaque jour/une ou plusieurs fois par jour
  Toutes les semaines/chaque semaine/une ou plusieurs fois par semaine
  Tous les mois/chaque mois/une ou plusieurs fois par mois
  Tous les ans/chaque année/une ou plusieurs fois par an

- (Pas) (très) souvent
  De temps en temps
  Rarement
  Exceptionnellement

- Jamais

dans les lieux suivants ?

À LA / AU / À L'...

piscine	cinéma	plage
banque	marché	montagne
université	bibliothèque	cirque
pharmacie	zoo	restaurant
boulangerie	théâtre	patinoire

CHEZ UN / UNE / DES – LE / LA / LES – VOTRE / VOS...

médecin	amis	...
coiffeur	dentiste	
parents	voyante	

DANS UN / UNE...

laverie automatique	club de vacances	...
club de sport	commissariat de police	
discothèque	librairie	

Répondez en utilisant les éléments du tableau.

QUAND ÊTES-VOUS NÉ(E) ?

En quelle année ? ______

En quelle saison ? ______

Quel mois ? ______

Quel jour de la semaine ? ______

À quelle date précisément ? ______

À quel moment de la journée ? ______

À quelle heure ? ______

QUAND ÊTES-VOUS ALLÉ(E) À L'ÉCOLE POUR LA PREMIÈRE FOIS ?

En quelle année ? ______

En quelle saison ? ______

Quel jour de la semaine ? ______

À quelle heure ? ______

QUAND AVEZ-VOUS COMMENCÉ À TRAVAILLER OU À FAIRE VOS ÉTUDES ?

En quelle année ? ______

En quelle saison ? ______

Quel mois ? ______

Quel jour de la semaine ? ______

À quel moment de la journée ? ______

À quelle heure ? ______

Le siècle : au XXe siècle, au XXIe siècle...

L'année : en 1899, en 1950, en 1995, en 2005...

Le semestre ou trimestre : au premier semestre, au troisième trimestre...

La saison : au printemps, en été, en automne, en hiver, au début de l'hiver, à la fin du printemps...

Le mois : en janvier/au mois de janvier, en mai/au mois de mai...

Le jour : le (mercredi) 1er avril, le 2 juin, le 25 décembre... un lundi, un samedi, un dimanche...

Le moment de la journée : le matin, l'après-midi, le soir, la nuit...

L'heure : à 8 heures (du matin), à midi, à 6 heures (du soir), à minuit...

Écoutez les messages du répondeur téléphonique. Complétez.

1. « Allô, je n'ai toujours pas eu le temps de te rapporter ta doc. Je peux la garder ____________ ? On mange toujours ensemble ____________ ? Rappelle-moi ____________ . »

2. « Allô maman, j'ai des invités ____________ . Ça cuit en combien de temps un pot-au-feu ? Rappelle-moi ____________ . »

3. « Allô, Mademoiselle Coste, votre commande est arrivée depuis hier. Vous pouvez venir la chercher ____________ . »

4. « Ça fait trois jours que je t'appelle. Qu'est-ce que tu fais ? Où es-tu passé ? Rappelle-moi ____________ . »

5. « T'es toujours d'accord pour le match de foot ____________ . Tu peux me rappeler ____________ . »

6. « Comme convenu, je passe te prendre ____________ pour aller au cinéma. Je te rappelle ____________ . »

7. « Si ça te dit, on va ensemble le week-end prochain à Avignon ? On partira ____________ et on rentrera ____________ . Rappelle-moi ce soir ____________ . »

8. « Qu'est-ce que tu fais ____________ ? Et le 31 ? On le passe ensemble ? Passe-moi un coup de fil ____________ , je ne bouge pas de chez moi. »

9. « Dans combien de temps tu déménages ? Tu veux de l'aide ? Je ne suis pas là ____________ mais tu peux laisser un message. Je te rappellerai ____________ . »

10. « Devine qui j'ai rencontré ____________ Pierre, tu te rappelles, l'année du bac... c'est incroyable ! Il veut qu'on mange ensemble ____________ . On essaye d'organiser quelque chose. Rappelle-moi ____________ . »

☞ quand, 94, 95, 96

Structures de questionnement ➤➤ *Observation/échanges*

A. *Lisez et soulignez les formules de questionnement.*

1. Depuis combien de temps apprenez-vous le français ?
2. (Pendant) combien de temps acceptez-vous d'attendre quelqu'un ?
3. En combien de temps avez-vous appris à lire ?
4. Combien d'heures par nuit dormez-vous ?
5. Combien de fois êtes-vous venu en France ? Combien de temps y avez-vous passé chaque fois ?
6. Il y a combien de temps que vous n'avez pas pleuré ou ri ?
7. À votre avis, il faut combien de temps pour apprendre une langue étrangère ?
8. À quel âge avez-vous marché ?
9. Jusqu'à quel âge pensez-vous être étudiant ou travailler (si vous travaillez déjà) ?
10. Dans combien de temps serez-vous grand-père ou grand-mère ?
11. En combien de temps avez-vous appris à conduire ?
12. Combien de temps passez-vous à table, devant la télévision, dans la salle de bain... chaque semaine ?
13. Jusqu'à quel âge avez-vous cru au Père Noël ?
14. Jusqu'à quel âge avez-vous fait pipi au lit ?
15. Combien de fois par cours regardez-vous votre montre ?
16. Combien de fois par jour, par semaine, par mois ou par an, cirez-vous vos chaussures ?

B. *Échangez puis notez quelques-unes de vos réponses.*

A. *Échangez comme dans l'exemple.*

Vous jouez d'un instrument de musique ? Non ? Passez à la question suivante.
Oui ? Dites depuis combien de temps.
Je fais du violon depuis que je suis enfant.
Je fais de la guitare depuis trois ans.
Je suis des cours de piano, mais pas depuis longtemps.

- parler anglais ______
- conduire ______
- être financièrement indépendant ______
- boire de l'alcool ______
- être marié ______
- être membre d'un club ______
- danser ______
- voter ______
- faire des études ______
- écrire un journal intime ______
- s'intéresser à la politique ______
- savoir nager ______
- participer à des compétitions sportives ______
- croire en Dieu ______

B. *Échangez à partir des questions suivantes. Notez des réponses complètes avec le verbe.*

Depuis combien de temps

Vous ne vous êtes pas coupé les cheveux ? *Je ne me suis pas coupé les cheveux depuis trois mois.*

Vous n'avez pas pris de médicaments ? ______

Vous n'avez pas éternué ou baillé ? ______

Vous n'avez pas passé une nuit blanche ? ______

Vous n'êtes pas allé(e) dans un musée ? ______

Vous n'avez pas eu de discussion avec quelqu'un ? ______

Vous n'avez pas emprunté de l'argent à quelqu'un ? ______

Vous n'avez pas été invité(e) au restaurant ? ______

Exercice oral puis écrit. Utilisez « il y a » dans des phrases au passé.

Exemple :	
Achat d'une voiture (six mois) Accident (trois mois) Rachat d'une nouvelle voiture (deux mois) Nouvel accident (trois jours)	*Il s'est acheté une voiture il y a six mois, il a eu un accident il y a trois mois, il s'est racheté une nouvelle voiture il y a deux mois et il a eu un nouvel accident il y a trois jours.*

1. Mariage (un an) — Ils ______
Divorce (six mois) ______
Remariage (trois mois) ______

2. Signature du contrat (un mois) — Nous ______
Rupture du contrat (huit jours) ______

3. Commande d'une pizza par téléphone (dix minutes) — Nous ______
Livraison de la pizza (cinq minutes) ______

4. Début du tournage d'un film (un an) — Le tournage ______
Fin du tournage (six mois) ______
Sortie du film (trois jours) ______

5. Paiement de la facture d'eau (six jours) — Je ______
Paiement de la facture d'électricité (quatre jours) ______
Paiement de la facture du téléphone (trois jours) ______
Paiement de la redevance télévision (deux jours) ______
Paiement du loyer (demain) ______

6. Maîtrise de droit (cinq ans) — Il a passé ______
Thèse de droit commercial (deux ans) ______
Poste à l'Université (un an) ______

7. Contravention (cinq ans) — Il a eu ______
Paiement de la contravention (une semaine) ______

FORMES VERBALES DIFFÉRENTES

IL Y A *Moment du passé où l'action a eu lieu ; point de départ d'une durée*	DEPUIS *Durée à partir de la réalisation de l'action passée jusqu'à maintenant*
Cette maison a été construite il y a vingt ans. →	Cette maison est construite depuis vingt ans.
La paix a été signée il y a une semaine.	La paix est signée depuis une semaine.
Cette loi a été votée il y a trois ans.	Cette loi est votée depuis trois ans.
Le concert s'est terminé il y a une heure.	Le concert est terminé depuis une heure.
Il s'est endormi il y a dix minutes.	Il dort depuis dix minutes.
Ils se sont mariés il y a trois semaines.	Ils sont mariés depuis trois semaines.
Nous nous sommes associés il y a deux ans.	Nous sommes associés depuis deux ans.
Il a commencé à faire du piano il y a un an.	Il fait du piano depuis un an.
Il s'est mis à étudier le chinois il y a six mois.	Il étudie le chinois depuis six mois.
Il a arrêté de travailler il y a un mois.	Il ne travaille pas depuis un mois. Il n'a pas travaillé depuis un mois.
Elle a cessé de fumer il y a quelques mois.	Elle ne fume plus depuis quelques mois. Elle n'a plus fumé depuis quelques mois.
Nous avons cessé de nous écrire il y a deux ans.	Nous ne nous écrivons plus depuis deux ans. Nous ne nous sommes pas écrit depuis deux ans.
La dernière fois que je suis allé au cinéma c'était il y a un mois.	Je ne suis pas allé au cinéma depuis un mois.
La dernière réunion a eu lieu il y a deux mois.	Il n'y a pas eu de réunion depuis deux mois.

FORMES VERBALES IDENTIQUES

ACCOMPLI DU PASSÉ	ACCOMPLI DU PRÉSENT
Il est parti il y a cinq minutes.	Il est parti depuis cinq minutes.
Elle a fini sa thèse il y a six mois.	Elle a fini sa thèse depuis six mois.
Elle est revenue d'Asie il y a quelques jours.	Elle est revenue d'Asie depuis quelques jours.
J'ai déménagé il y a une semaine.	J'ai déménagé depuis une semaine.

« Il y a… que », « ça fait… que » ou « voilà… que » remplacent « il y a » et « depuis » si l'on veut mettre en relief la durée

__Il y a__ vingt-cinq ans __que__ nous nous sommes rencontrés pour la première fois ; eh oui ! __ça fait__ vingt-cinq ans __que__ nous nous connaissons.

Reformulez les différentes phrases du tableau avec une de ces expressions.

A. *Écoutez et complétez.*

1. Le détenu a été libéré il y a trois semaines, il ____________
2. Les Français ont voté il y a six mois, ils ____________
3. Mon voisin a gagné des millions au loto il y a un an, ____________
4. L'opération a commencé il y a longtemps et ____________
5. La manifestation s'est dispersée il y a deux heures et ____________
6. Elle a fait une cure de désintoxication il y a deux ans, ____________
7. Il ne lit pas *Le Monde* depuis très longtemps, il ____________
8. Il vit en France depuis plusieurs années, ____________

B. *Complétez avec « il y a » ou « depuis ».*

Exemple :
J'ai fait tomber mon téléphone **il y a** deux jours, **depuis**, je ne peux plus téléphoner.

1. On m'a volé ma bicyclette ________ un mois et ________ je marche à pied.
2. Elle a eu une contrariété ________ trois jours et ________ trois jours elle ne mange pas.
3. L'état du malade a commencé à s'améliorer ________ deux semaines et ________ une semaine ça va beaucoup mieux.
4. Je conduis avec mon père ________ deux ans mais je n'ai mon permis de conduire que ________ trois mois.
5. Les agents de l'EDF (Electricité de France) sont en grève ________ ce matin. L'électricité a été coupée ________ cinq heures, puis rétablie, puis recoupée.
6. Elle a commencé sa thèse ________ trois ans, elle l'a finie ________ trois mois et elle est docteur es sciences ________ quinze jours.
7. Ils ont gagné un match important ________ deux ans mais ________, ils n'ont plus rien gagné.
8. Il n'a pas voté ________ plus de ________ ans ! La dernière fois qu'il a voté c'était en 1993, ________ ans.
9. Ils se sont disputés ________ cinq ans, et ils ne se sont pas parlé ________ .
10. Sa mère est à l'hôpital ________ huit jours et elle a été opérée ________ trois jours.

A. *Qui parle à qui ? Pourquoi ?*

« Dans quelques années, tu comprendras. »

« Dans quelques minutes nous amorçons notre descente vers Madrid. »

« Courage ! dans une ou deux heures nous serons au sommet. »

« Dans un an je suis majeur et je dis zut à tout le monde ! »

« Si tout marche bien, dans une heure nous sommes riches ! »

« La chambre sera prête dans une demi-heure. »

« Je viens au monde dans quinze jours. »

« On se met à table dans cinq minutes. »

« Je me représenterai dans sept ans. »

« Je prends votre commande dans un instant. »

B. *Observez.*

Il y a	Dans
Nous nous sommes vus il y a trois jours et... →	nous nous reverrons dans deux jours
Il est revenu de l'étranger il y a quelques jours et...	il y repart dans une semaine
J'ai commandé ma voiture il y a quatre mois et...	je ne la recevrai que dans un mois

C. *Complétez comme dans les exemples.*

Curiosité
Il a posé une question il y a deux minutes... *il en posera une autre dans trois minutes.*

Gourmandise
J'ai mangé une glace à la vanille il y a une heure... *j'en recommanderai une à la pistache dans cinq minutes.*

« Téléphomanie »
Ils se sont téléphoné il y a deux heures... ______________________

Nervosité, colère
Elle s'est énervée il y a dix minutes... ______________________

Don Juan
Il a séduit une femme il y a deux heures... ______________________

Grande dormeuse
Elle s'est endormie il y a dix heures... ______________________

Sans rancune
Nous nous sommes disputés il y a une demi-heure mais... ______________________

Négligence
Il m'a emprunté des disques il y a quinze jours... ______________________

A. *Observez.*

PENDANT *Durée délimitée située dans le passé*	**DEPUIS** *Durée non achevée avec point de départ dans le passé*
Elle a été mariée pendant quinze ans. J'ai pleuré pendant tout le film. Ce matin il a téléphoné pendant une heure. Je ne l'ai pas vu pendant trois jours.	Elle est mariée depuis quinze ans. Je pleure depuis le début du film. Il téléphone depuis une heure. Je ne l'ai pas vu depuis trois jours.

B. *Complétez avec « pendant » ou « depuis ».*

1. Hier soir nous avons dansé ________ toute la soirée.
2. Ils doivent être fatigués, ils dansent ________ le début de la soirée.
3. Il n'a pas plu ________ ce matin !
4. Hier, il a plu ________ toute la matinée.
5. Qu'est-ce qu'il fait ? Je l'attends ________ trois quarts d'heure.
6. Je l'ai attendu ________ plus de trois heures et il n'est pas venu.

C. *Complétez.*

PENDANT MON ENFANCE
j'étais fragile.
j'ai fait du violon.

PENDANT SON SÉJOUR EN ITALIE
il a pris beaucoup de photos.
il a mangé des pâtes tous les jours.

PENDANT SES ÉTUDES
____
____

PENDANT SA MALADIE
____
____

PENDANT MES DERNIÈRES VACANCES
____
____

DEPUIS MON ENFANCE
j'ai beaucoup changé.
je fais du violon.

DEPUIS SON SÉJOUR EN ITALIE
il est presque bilingue.
il ne pense qu'à y retourner.

DEPUIS LA FIN DE SES ÉTUDES
____
____

DEPUIS SA MALADIE
____
____

DEPUIS MES DERNIÈRES VACANCES
____
____

Formulez les questions et échangez.

En combien de temps… ?

- faire son lit : *En combien de temps faites-vous votre lit ?*
- éplucher 1 kilo de pommes de terre ______
- apprendre un poème de 12 vers ______
- prendre une décision ______
- se laver les dents ______
- s'endormir ______
- trouver un mot dans un dictionnaire ______
- prendre son petit-déjeuner ______
- courir un 100 mètres ______
- boire une bière ______
- être opérationnel le matin ______
- faire son lit ______
- tomber amoureux ______
- faire sa valise ______
- se préparer pour une soirée ______
- changer un pneu crevé ______
- ______ ______
- ______ ______

« En » indique la durée nécessaire à la réalisation de quelque chose :

- *Je m'endors en trois minutes.*
- *Un œuf à la coque est cuit en trois minutes.*

Reformulations :

Il (me) faut… pour/Je mets… pour/J'ai besoin de… pour

- *Je mets à peine trois minutes pour m'endormir.*
- *Il faut trois minutes pour cuire un œuf à la coque.*
- *J'ai besoin de beaucoup de temps pour me réveiller.*

Improvisez des dialogues.

1. Il arrive quel jour ?

____

À quelle heure ?

____

Il reste jusqu'à quand ?

____

2. Depuis combien de temps vous m'attendez ?

____

On avait rendez-vous à quelle heure ?

____

3. La pièce se joue jusqu'à quand ?

____

Quand est-ce que tu peux y aller ?

____

Tu le sauras quand ?

____

4. Tu es né(e) en quelle année ?

____

C'est quel jour ton anniversaire ?

____

Tu es né(e) à quelle heure ?

____

5. Vous avez travaillé combien d'années ?

____

À quel âge vous avez commencé ?

____

Dans combien de temps vous pourrez prendre votre retraite ?

____

6. On se revoit quand ?

____

On peut se voir de quelle heure à quelle heure ?

____

C'est tout ? Quel jour on peut se voir plus longtemps ?

____

7. Il vous faut combien de temps pour réparer ma voiture ?

____

Combien de temps ?

____

Il me la faut absolument pour ce soir ! Vous travaillez jusqu'à quelle heure ?

____

Je viendrai la rechercher ce soir.

8. Tu pars pendant combien de temps aux États-Unis ?

____

Formidable ! À quel moment je peux te rendre visite ?

____

OK d'accord !

INDEX

Q

R

S

T

U

V

Y

TABLE DES MATIÈRES

Dans la même collection

Français général

Niveau 1

M.-L. Chalaron, R. Roesch
La Grammaire autrement
Sensibilisation et pratique
avec corrigé des exercices
138 pages, format 17 x 25 cm – 48 F

D. Abry, M.-L. Chalaron, J. Van Eibergen
Présent, passé, futur
Grammaire des premiers temps
avec corrigé des exercices
88 pages, format 17 x 25 cm – 37 F

Niveau 2 et 3

D. Abry, M.-L. Chalaron, J. Van Eibergen
A propos de...
Manuel de français langue étrangère
pour le niveau intermédiaire
260 pages, format 17 x 25 cm – 90 F
Guide pédagogique et corrigé des exercices
80 pages, format 17 x 25 cm – 50 F
Cassette de A propos de
90 mn – 90 F

C. Descotes-Genon, M.-H. Morsel, C. Richou
L'Exercisier
Exercices de grammaire pour niveau intermédiaire
336 pages, format 17 x 25 cm – 90 F
Corrigé des exercices
80 pages, format 17 x 25 cm – 50 F

Niveau 4

Ch. Abbadie, B. Chovelon, M.-H. Morsel
L'Expression française écrite et orale
200 pages, format 17 x 25 cm – 65 F
Corrigé des exercices de L'Expression française
52 pages, format 17 x 25 cm – 50 F

Français de spécialité

Niveau 2 et 3

C. Descotes-Genon, R. Rolle-Harold, E. Szilagyi
La Messagerie
Pratique de la négociation commerciale en français
160 pages, format 21 x 29,7 cm – 72 F
Corrigé des exercices de La Messagerie
32 pages, format 21 x 29,7 cm – 28 F
Cassette de La Messagerie, 60 mn – 60 F

E. Szilagyi, *Affaires à faire*
Pratique de la négociation d'affaires en français
160 pages, format 21 x 29,7 – 72 F
Corrigé des exercices de Affaires à faire
32 pages, format 21 x 29,7 cm – 28 F

J. Lamoureux, *Les Combines du téléphone*
Pratique de la communication téléphonique
en français
avec transcription des textes complémentaires de
la cassette
90 pages, format 17 x 25 cm – 50 F
Cassette des Combines du téléphone, 60 mn – 60 F

C. Descotes-Genon, S. Eurin, R. Rolle-Harold,
E. Szilagyi, *La Voyagerie*
Pratique du français du tourisme
240 pages, format 21 x 29,7 cm – 90 F
Corrigé des exercices de La Voyagerie
64 pages, format 21 x 29,7 cm – 50 F
Cassette de La Voyagerie, 90 mn – 80 F

C. Descotes-Genon, E. Szilagyi,
Service compris
Pratique du français de l'hôtellerie, de la restauration et de la cuisine
230 pages, format 21 x 29,7 cm – 98 F
Corrigé des exercices et guide pédagogique de Service compris
64 pages, format 21 x 29,7 cm – 50 F
Cassette de Service compris, 120 mn – 80 F

par  Achevé d'imprimer
en juillet 1998
IMPRIMERIE LIENHART
à Aubenas d'Ardèche

Dépôt légal juillet 1998
N° d'imprimeur : 9884
Printed in France